LOUISE CARTIER

« PAVILLONS »
Collection dirigée par Maggie Doyle

DU MÊME AUTEUR

Chez le même éditeur

Le Chant des plaines, 2001 (Pavillons Poche, 2014).
Colorado Blues, 2002 (Pavillons Poche, 2006).
Les Gens de Holt County, 2006
(Pavillons Poche, 2015).

KENT HARUF

NOS ÂMES LA NUIT

traduit de l'anglais (États-Unis) par
Anouk Neuhoff

roman

Robert Laffont

Titre original : OUR SOULS AT NIGHT
© Ken Haruf, 2015
Traduction française : Éditions Robert Laffont, S.A., Paris, 2016

ISBN 978-2-221-18784-5
(édition originale : ISBN 978-1-101-87589-6, Alfred A. Knopf, New York)

Pour Cathy

1.

Et puis il y eut le jour où Addie Moore rendit visite à Louis Waters. C'était un soir de mai juste avant qu'il fasse complètement nuit.

Ils habitaient à un pâté de maisons l'un de l'autre dans Cedar Street, le plus vieux quartier de la ville, où des ormes, des micocouliers et un érable solitaire poussaient le long du trottoir en bordure des pelouses vertes qui s'étendaient jusqu'aux bâtisses à deux étages. Il avait fait chaud dans la journée mais là, avec le soir, la fraîcheur était tombée. Addie remonta le trottoir sous les arbres puis tourna dans l'allée de Louis.

Quand Louis vint ouvrir elle demanda : Pourrais-je entrer vous parler de quelque chose ?

Ils s'assirent dans le salon. Puis-je vous proposer quelque chose à boire ? Du thé ?

Non merci. Je risque de ne pas rester assez longtemps pour le boire. Elle regarda autour d'elle. Vous avez une jolie maison.

Diane tenait bien son intérieur. J'ai essayé de continuer dans la mesure du possible.

Elle est toujours jolie, dit-elle. Ça faisait des années que je n'étais pas entrée.

Elle regarda par la fenêtre la cour latérale où la nuit s'installait et vers la cuisine où une lumière brillait au-dessus de l'évier et des plans de travail. Tout semblait propre et bien rangé. Il l'observait. C'était une belle femme, il avait toujours trouvé. Elle avait des cheveux bruns quand elle était plus jeune, mais ils étaient blancs aujourd'hui et courts. Elle avait encore une silhouette harmonieuse, juste un peu lourde au niveau de la taille et des hanches.

Vous vous demandez sans doute ce que je fabrique ici, dit-elle.

Eh bien, je ne pense pas que vous soyez venue me dire que j'ai une jolie maison.

Non. Je veux vous proposer quelque chose.

Ah ?

Oui. Une sorte de demande.

D'accord.

Pas en mariage, dit-elle.

Je ne l'avais pas compris comme ça.

Mais pas si éloignée, en fait. Je ne sais pas si je vais oser. J'ai un peu le trac maintenant. Elle eut un petit rire. Comme pour un mariage, décidément.

Quoi donc ?

Le trac.

Ça arrive.

Oui. Bon, je me lance.

J'écoute, dit Louis.

Je me demandais si vous accepteriez de venir chez moi de temps en temps pour dormir avec moi.

Quoi ? Qu'entendez-vous par là ?

J'entends par là que nous sommes seuls tous les deux. Ça fait trop longtemps que nous sommes sans personne. Des années. La compagnie me manque.

À vous aussi, sans doute. Je me demandais si vous accepteriez de venir dormir avec moi certaines nuits. Discuter.

Il la dévisagea, l'observant, curieux à présent, circonspect.

Vous ne dites rien. Est-ce que je vous aurais coupé le sifflet ? dit-elle.

Je suppose que oui.

Je ne parle pas de sexe.

Je me demandais.

Non, il ne s'agit pas de sexe. Ce n'est pas comme ça que je vois la chose. Je crois que j'ai perdu tout élan sexuel il y a longtemps. Je parle de passer le cap des nuits. Et d'être allongés au chaud sous les draps, de manière complice. D'être allongés sous les draps ensemble et que vous restiez la nuit. Le pire, ce sont les nuits. Vous ne trouvez pas ?

Oui. Je trouve.

Je finis par prendre des cachets pour dormir et puis je lis trop tard, du coup le lendemain je me sens groggy. Bonne à rien, tant pour moi que pour les autres.

J'ai connu ça moi aussi.

Mais je crois que je pourrais retrouver le sommeil s'il y avait quelqu'un dans mon lit avec moi. Quelqu'un de gentil. L'intimité que ça représente. De discuter la nuit, dans le noir. Elle attendit. Qu'est-ce que vous en dites ?

Je ne sais pas. Quand voudriez-vous commencer ?

Dès que vous voudrez. Enfin, si vous voulez. Cette semaine.

Laissez-moi réfléchir.

Très bien. Mais je veux que vous m'appeliez le jour où vous viendrez si vous vous décidez. Que je sois préparée.

Très bien.

J'attendrai de vos nouvelles.

Et si je ronfle ?

Alors vous ronflerez, ou vous apprendrez à arrêter.

Il rit. Ce serait une première.

Elle se leva et repartit chez elle, et il se tint à la porte à l'observer, cette septuagénaire de taille moyenne aux cheveux blancs s'éloignant sous les arbres parmi les taches de lumière que projetait le réverbère du carrefour. Ça, c'est la meilleure, lâcha-t-il. Enfin bon, ne nous emballons pas.

2.

Le lendemain Louis alla chez le coiffeur de la rue principale et se fit couper les cheveux très court, quasiment en brosse, et demanda au coiffeur s'il rasait encore et le coiffeur répondit que oui, alors il se fit raser aussi. Puis il rentra chez lui, appela Addie et annonça : J'aimerais venir ce soir si ça vous convient toujours.

Oui, tout à fait, dit-elle. Je suis contente.

Il dîna légèrement, un simple sandwich et un verre de lait, il ne voulait pas se sentir lourd et ballonné dans le lit d'Addie, puis il prit une longue douche brûlante et se décrassa à fond. Il se tailla les ongles des mains et des pieds et à la nuit tombée il sortit par la porte de derrière et remonta la ruelle, chargé d'un sac en papier contenant son pyjama et sa brosse à dents. Il faisait noir dans la ruelle et ses pieds crissaient sur le gravier. Une lampe était allumée dans la maison de l'autre côté et il la vit qui se tenait là de profil à l'évier de la cuisine. Pénétrant dans la cour de derrière d'Addie Moore, il longea le garage et le jardin, et frappa à la porte. Il attendit un bon moment. Une voiture passa dans la rue devant, ses phares brillant dans l'obscurité. Il entendait les lycéens dans Main Street qui se klaxonnaient. Puis la lumière du porche s'alluma au-dessus de sa tête et la porte s'ouvrit.

Qu'est-ce que vous faites ici derrière? demanda Addie.

Je me suis dit qu'il y avait moins de risque qu'on me voie.

Ça m'est bien égal. Les gens finiront par savoir. Quelqu'un finira par vous voir. Vous entrerez par la porte principale sur la rue de devant. J'ai décidé de ne pas faire attention à ce que pensent les gens. J'ai fait ça trop longtemps... toute ma vie. Plus question que je vive de cette façon-là. La ruelle donne l'impression que nous faisons quelque chose de mal ou de scandaleux, quelque chose dont il faudrait avoir honte.

J'ai été prof dans une petite ville trop longtemps, expliqua-t-il. Ça vient de là. Mais d'accord. J'entrerai par la porte principale la prochaine fois. S'il y a une prochaine fois.

Vous en doutez? Ce ne serait qu'une aventure d'un soir?

Je ne sais pas. Peut-être. La dimension sexuelle en moins, bien sûr. Je ne sais pas comment ça va se passer.

Vous n'avez donc aucune confiance? demanda-t-elle.

Si, en vous. Je peux avoir confiance en vous. Je m'en rends déjà compte. Mais je ne suis pas certain de vous valoir.

De quoi parlez-vous? Qu'entendez-vous par là?

D'avoir votre courage, dit-il. Votre goût du risque.

N'empêche, vous êtes ici.

Exact. Je suis ici.

Alors vous feriez mieux d'entrer. On n'est pas obligés de rester plantés ici toute la nuit. Même si ce que nous faisons n'a rien de honteux.

Il franchit à sa suite le porche de derrière pour rejoindre la cuisine.

Commençons par boire quelque chose, dit-elle.

Ça me semble une bonne idée.

Vous buvez du vin ?

Un peu.

Mais vous préférez la bière ?

Oui.

J'achèterai de la bière pour la prochaine fois. S'il y a une prochaine fois, dit-elle.

Il ne savait pas si elle plaisantait ou non. S'il y en a une, dit-il.

Vous préférez du vin blanc ou du vin rouge ?

Du blanc, s'il vous plaît.

Elle sortit une bouteille du réfrigérateur et leur servit un verre à chacun, puis ils s'assirent à la table de la cuisine. Qu'y a-t-il dans ce sac en papier ? demanda-t-elle.

Un pyjama.

Autrement dit, vous êtes prêt à faire l'essai au moins une fois.

Oui. C'est ce que ça veut dire.

Ils burent le vin. Vous en revoulez ?

Non, je ne crois pas. Est-ce qu'on pourrait visiter la maison ?

Vous voulez que je vous montre l'agencement des lieux.

Je voudrais juste arriver à me repérer un peu mieux.

Pour pouvoir, au besoin, vous esquiver dans le noir.

15

Euh, non, je ne pensais pas à ça.

Elle se leva et il la suivit dans la salle à manger et le salon. Puis elle le conduisit à l'étage et lui montra les trois chambres à coucher. La grande sur le devant avec vue sur la rue était la sienne. C'est là que nous dormions toujours, dit-elle. Gene avait la chambre sur l'arrière et l'autre nous servait de bureau.

Il y avait une salle de bains au bout du couloir et une autre donnant sur la salle à manger au rez-de-chaussée. Le lit dans la chambre était très large et garni d'un jeté en coton léger.

Qu'est-ce que vous en dites ? demanda-t-elle.

La maison est plus grande que je ne croyais. Il y a plus de pièces.

Cette maison nous convenait bien. J'y habite depuis quarante-quatre ans.

Deux ans après mon retour ici avec Diane.

Ça ne date pas d'hier.

3.

Je crois que je vais aller dans la salle de bains, dit-elle.

Pendant son absence, il regarda les photos sur la commode et celles accrochées aux murs. Des photos de famille avec Carl le jour de leur mariage, sur le perron d'une église quelque part. Eux deux dans les montagnes à côté d'un ruisseau. Un petit chien noir et blanc. Il connaissait vaguement Carl, un homme bien, plutôt calme, qui vendait des assurances récoltes et d'autres types d'assurances dans tout le comté de Holt vingt ans auparavant, et qui avait été élu maire de la ville à deux reprises. Louis ne l'avait pas bien connu. Il s'en félicitait aujourd'hui. Il y avait des photos de leur fils. Gene ne ressemblait ni à l'un ni à l'autre. Un grand garçon maigre, très sérieux. Et deux photos de leur fille.

Quand elle revint il dit : Je crois que je vais aller dans la salle de bains moi aussi. Une fois à l'intérieur, il utilisa les toilettes et se lava scrupuleusement les mains, puis emprunta à Addie une noix de dentifrice pour se brosser les dents, après quoi il enleva ses chaussures, se déshabilla et mit son pyjama. Il plia ses vêtements sur ses chaussures et laissa le tout dans le coin derrière la porte avant de retourner dans la chambre. Elle avait revêtu une chemise de nuit et était désormais couchée, la lampe de chevet allumée auprès d'elle, le plafonnier éteint et la fenêtre entrebâillée de quelques centimètres. Il soufflait une petite brise fraîche. Il se posta près du lit. Elle rabattit le drap et la couverture.

Vous ne venez pas ?

J'y songe.

Il se mit au lit, restant bien de son côté, puis remonta la couverture et s'allongea. Il ne soufflait mot.

À quoi pensez-vous ? demanda-t-elle. Vous êtes drôlement silencieux.

Je me dis que c'est vraiment étrange comme situation. Vraiment inattendu d'être ici. Je ne sais pas trop sur quel pied danser et je suis un peu nerveux. Je ne sais pas ce que je me dis. C'est la pagaille dans ma tête.

C'est inattendu, en effet, dit-elle. Mais un inattendu agréable, je dirais. Pas vous ?

Si.

Qu'est-ce que vous faites d'habitude avant de dormir ?

Oh, je regarde les infos de dix heures puis je me couche et je lis jusqu'à ce que je m'endorme. Mais je ne suis pas sûr d'arriver à dormir ce soir. Je suis trop énervé.

Je vais éteindre la lumière, dit-elle. Nous pourrons parler quand même. Elle se tourna dans le lit et il regarda ses épaules nues à l'aspect si soyeux et ses cheveux si brillants sous la lumière.

Soudain le noir se fit, avec seulement l'éclairage de la rue qui baignait la chambre d'une lueur pâle. Ils parlèrent de choses anodines, histoire de faire connaissance, évoquant les menus événements ordinaires de la ville, la santé de Ruth, la vieille dame qui habitait entre leurs deux maisons, le pavage de Birch Street. Puis ils se turent.

Au bout d'un moment il dit : Vous êtes réveillée ?

Oui.

Vous m'avez demandé à quoi je pensais. Je vais vous dire : par exemple, je suis content de ne pas avoir très bien connu Carl.

Pourquoi ?

Je ne me sentirais pas aussi à l'aise avec vous, sinon.

Moi je connaissais plutôt bien Diane.

Une heure plus tard elle était endormie et respirait tranquillement. Il était toujours éveillé. Il n'avait cessé de l'observer. Il distinguait son visage dans la faible lumière. Ils ne s'étaient pas effleurés une seule fois. À trois heures du matin il quitta le lit, alla dans la salle de bains, revint et ferma la fenêtre. Le vent avait forci.

À l'aube il se leva, s'habilla dans la salle de bains et regarda à nouveau Addie Moore dans le lit. Elle était réveillée à présent. À la prochaine fois, dit-il.

Il y en aura une ?

Oui.

Il sortit, longea le trottoir vers chez lui en passant devant les maisons voisines, poussa sa porte, se fit du café, avala des toasts et des œufs, ressortit travailler quelques heures dans son jardin puis regagna sa cuisine, déjeuna tôt et dormit comme un loir pendant deux heures l'après-midi.

4.

Quand il se réveilla cet après-midi-là il comprit qu'il était malade. Il se leva, but un peu d'eau et constata qu'il avait chaud. Il réfléchit un moment puis décida de l'appeler. Au téléphone il dit : Je viens de sortir de ma sieste et je ne me sens pas bien, une espèce de mal au ventre et une douleur aussi dans le bas du dos. Je suis désolé. Je ne viendrai pas ce soir.

Je vois, dit-elle, avant de raccrocher.

Il appela le cabinet de son médecin et prit rendez-vous pour le lendemain matin. Il se coucha de bonne heure, eut des suées pendant la nuit, n'arriva pas dormir et le matin il n'avait pas faim et à dix heures il alla voir le médecin qui l'envoya à l'hôpital pour des analyses de sang et d'urine. Il attendit dans le hall que le labo ait les résultats, à la suite de quoi on l'hospitalisa car il souffrait d'une infection urinaire.

On lui donna des antibiotiques et il dormit la majeure partie de l'après-midi et à nouveau il ne ferma presque pas l'œil de la nuit. Le matin il se sentait mieux et on lui annonça qu'il serait sans doute autorisé à sortir le lendemain. Il prit son petit déjeuner puis son déjeuner, fit une courte sieste, et quand il se réveilla aux alentours de trois heures elle était assise dans le fauteuil à son chevet. Il la regarda.

Vous ne plaisantiez pas, dit-elle.

Vous aviez cru que je plaisantais ?

Je croyais que votre maladie était bidon. Que vous ne vouliez plus venir me voir le soir.

J'avais peur que vous pensiez ça.

Je me suis dit que c'était fichu, dit-elle.

J'ai pensé à vous toute la journée d'hier et cette nuit et toute la journée d'aujourd'hui, dit-il.

Qu'est-ce que vous pensiez ?

Que vous alliez mal interpréter mon coup de fil. Et que j'allais devoir vous expliquer clairement que je veux continuer à venir vous voir le soir pour qu'on soit ensemble. Que rien ne m'a intéressé à ce point depuis des lustres.

Pourquoi ne pas m'avoir appelée, alors ? Pour me le dire ?

Je craignais que ce soit encore pire, de donner encore plus l'impression de raconter des craques.

Dommage. Vous auriez dû essayer.

J'aurais dû. Comment avez-vous su que j'étais à l'hôpital ?

Je discutais avec notre voisine Ruth ce matin et elle a dit : Vous avez appris, pour Louis ? J'ai dit : Quoi, Louis ? Il est à l'hôpital. Qu'est-ce qui lui arrive ? Il paraît qu'il a une espèce d'infection. Et là j'ai compris, dit-elle.

Je n'ai pas l'intention de vous mentir, dit-il.

Très bien. On ne se mentira ni l'un ni l'autre. Alors, est-ce que vous reviendrez ?

Dès que je me sentirai mieux et que je serai sûr d'être remis. Ça fait plaisir de vous voir, dit-il.

Merci. Vous avez l'air plutôt épuisé, là.

Je n'ai pas encore eu le temps de me maquiller.

Elle rit. Je m'en moque. Ce n'est pas ce que je veux dire. Je faisais simplement une remarque, une observation.

Eh bien, moi je vous trouve pas mal du tout, dit-il.

Vous avez appelé votre fille ?

Je lui ai dit de ne pas s'inquiéter. Que je serai sorti d'ici vingt-quatre heures et qu'il n'y avait rien d'alarmant. Elle n'aura pas à prendre de congés. Elle n'a pas besoin de venir me voir. Elle habite Colorado Springs.

Je sais.

Elle est enseignante comme moi jadis. Il s'interrompit. Vous voulez quelque chose à boire ? Je pourrais appeler l'infirmière.

Non, je vais vous laisser maintenant.

Je vous appellerai quand je serai rentré et que je me sentirai en forme.

Bien, dit-elle. J'ai déjà acheté de la bière.

Elle s'en alla et il la regarda sortir de la chambre puis il resta allongé à attendre de se rendormir, mais on lui apporta son plateau et il regarda les infos en dînant, après quoi il éteignit la télé et observa par la fenêtre la nuit qui tombait sur l'immense plaine à l'ouest de la ville.

5.

Le lendemain après-midi il fut autorisé à quitter l'hôpital. Mais il devait être plus malade que ne le pensaient les médecins, car il lui fallut presque une semaine entière pour se sentir à nouveau lui-même, assez en forme pour téléphoner et lui demander si elle acceptait qu'il vienne ce soir-là.

Vous étiez toujours malade ?

Oui. Je ne sais pas pourquoi j'ai mis si longtemps à me requinquer.

Il prit une douche, se rasa, mit de l'after-shave, puis à la nuit tombée il attrapa le sac en papier contenant son pyjama et sa brosse à dents, sortit dans la rue, passa devant les maisons des voisins et frappa à la porte.

Addie vint aussitôt. Bon. Vous avez l'air mieux. Entrez. Ses cheveux étaient dégagés de son visage et elle était jolie.

Assis comme la fois d'avant à la table de la cuisine, ils burent et discutèrent un peu. Puis elle dit : Je suis prête à monter, pas vous ?

Si.

Elle plaça leurs verres dans l'évier et il la suivit à l'étage. Il se rendit dans la salle de bains, enfila son pyjama et plia ses vêtements dans le coin. Elle était au lit en chemise de nuit quand il arriva dans la chambre. Elle rabattit les couvertures et il s'allongea.

Vous n'aviez pas laissé votre pyjama la dernière fois. Raison de plus pour que je m'imagine que vous ne comptiez pas revenir.

J'avais peur que ça paraisse présomptueux. Comme si je trouvais que ça allait de soi. On ne s'était pas encore dit grand-chose, au fond.

Eh bien dorénavant vous pourrez laisser votre pyjama et votre brosse à dents.

Ça évitera d'user des sacs en papier.

Oui. Exactement. Y a-t-il quelque chose dont vous voulez parler? demanda-t-elle. Ça n'a rien d'urgent. Juste histoire d'entamer la conversation.

J'ai plein de questions, surtout.

J'en ai quelques-unes aussi. Mais quelles sont les vôtres?

Je me demandais pourquoi vous m'aviez choisi, moi. On ne se connaît pas très bien, en réalité.

Vous vous disiez que j'aurais pu jeter mon dévolu sur n'importe qui? Que j'avais juste besoin de quelqu'un pour me tenir chaud la nuit? Juste quelqu'un d'un certain âge avec qui parler?

Je ne me disais pas ça. Mais je ne sais pas pourquoi vous m'avez choisi, moi.

Vous le regrettez?

Non. Ce n'est pas ça du tout. Je suis simplement curieux. Je me demandais.

Parce que je crois que vous êtes un brave homme. Un homme bien.

J'espère l'être.

Je crois que vous l'êtes. Et, comment dire, je vous ai toujours vu comme quelqu'un que je pourrais apprécier et avec qui je pourrais discuter. Et moi, vous me voyiez comment, si par hasard il vous arrivait de penser à moi ?

Je pensais à vous, dit-il.

De quelle manière ?

Comme à une belle femme. Quelqu'un avec de la personnalité. Du caractère.

Qu'est-ce qui vous fait dire ça ?

La façon dont vous vivez. La façon dont vous avez mené votre vie après la mort de Carl. C'était une période difficile pour vous, dit-il. Vous m'en imposiez. Je sais comment ça avait été pour moi après la mort de ma femme, et je pouvais constater que vous vous en tiriez mieux que moi. J'admirais ça.

Vous n'êtes jamais passé me voir et vous n'avez jamais cherché à me glisser un mot.

Je ne voulais pas paraître indiscret.

Vous avez eu tort. Je me sentais très seule.

Je m'en doutais. Mais je n'ai pas osé pour autant.

Que voulez-vous savoir d'autre ?

D'où vous venez. Où vous avez grandi. Comment vous étiez petite fille. Comment étaient vos parents. Si vous avez des frères et sœurs. Comment vous avez rencontré Carl. Quels rapports vous avez avec votre fils. Pourquoi vous avez emménagé à Holt. Qui sont vos amis. Ce que vous croyez. Pour quel parti vous votez.

On va vraiment se régaler à discuter, vous ne croyez pas ? Toutes ces choses-là, je veux les savoir sur vous, moi aussi.

Il n'y a pas le feu, dit-il.

Non, prenons notre temps.

Elle se tourna dans le lit pour éteindre la lampe et là encore il regarda ses cheveux brillants sous la lumière et ses épaules nues, puis dans le noir elle lui prit la main et lui dit bonne nuit et bientôt elle dormait. Il n'en revenait pas de la vitesse à laquelle elle pouvait s'endormir.

6.

Le lendemain il travailla dans le jardin le matin, tondit la pelouse, déjeuna et fit une courte sieste, puis se rendit à la boulangerie pour boire le café avec un groupe d'hommes qu'il retrouvait une semaine sur deux. Parmi eux il y en avait un qu'il n'aimait pas spécialement. L'homme dit : J'aimerais avoir ton énergie.

Comment ça ?

Ne pas rentrer de la nuit et avoir encore assez d'énergie pour fonctionner le lendemain.

Louis le fixa un moment.

Tu sais, dit-il, à ce qu'on raconte, les ragots n'ont rien à craindre avec toi. Ils entrent dans tes oreilles pour ressortir illico par ta bouche. J'aimerais pas passer pour un menteur et un affabulateur dans une aussi petite ville que la nôtre. Une réputation comme ça est du genre à vous suivre partout.

L'homme dévisagea Louis. Il jeta un coup d'œil aux autres assis à la table. Ils regardaient tous ailleurs. Il se leva et quitta la boulangerie pour rejoindre la grand-rue.

Je ne crois pas qu'il ait réglé son café, dit un des hommes.

Je m'en occupe, dit Louis. À tout à l'heure, les gars. Il gagna le comptoir et régla le café du bavard et le sien puis sortit et se dirigea vers Cedar Street.

Chez lui il alla dans le jardin où il bina pendant une heure, de toutes ses forces, presque avec violence, puis il rentra et se fit cuire un hamburger et but un verre de lait, après quoi il prit une douche et se rasa. La nuit venue, il retourna chez Addie.

7.

Pendant la journée elle avait fait le ménage à fond, changé les draps du lit à l'étage, pris un bain et avalé un sandwich au dîner. Alors que le jour baissait, elle demeura assise dans le salon, placide, immobile, pensive, à attendre que Louis vienne frapper à sa porte à la nuit tombée.

Il finit par arriver et elle le fit entrer. Il y avait quelque chose de changé, elle s'en rendit compte. Qu'est-ce qui ne va pas? demanda-t-elle.

Je vous expliquerai dans une minute. On peut boire un verre avant?

Bien sûr.

Ils allèrent dans la cuisine et elle lui offrit une bouteille de bière alors qu'elle se servait du vin. Elle le regarda, patiente.

Nos rencontres ne sont plus secrètes. Si elles l'ont jamais été.

Comment le savez-vous? Que s'est-il passé?

Vous connaissez Dorlan Becker.

C'était le propriétaire du magasin pour hommes.

Oui. Il l'a vendu et il est resté en ville. Tout le monde croyait qu'il déménagerait. Il n'a jamais semblé se plaire ici. Il va en Arizona tous les hivers.

Quel rapport avec le fait que notre secret soit éventé ?

C'est un des types que je retrouve à la boulangerie deux, trois fois par mois. Aujourd'hui il voulait savoir comment j'avais autant d'énergie. Pour être dehors toute la nuit et réussir à faire ce que je fais d'habitude dans la journée.

Vous avez répondu quoi ?

Je lui ai dit qu'il commençait à avoir une réputation de concierge et de menteur. Je me suis mis en colère. Je n'ai pas eu la bonne réaction. Je suis furieux contre moi.

Je vois ça.

J'aurais dû ignorer sa remarque et désamorcer le truc. Mais non. Je ne voulais pas que les autres aient une mauvaise idée de vous.

Laissez courir, Louis. On savait depuis le début que les gens l'apprendraient. On en avait parlé.

Oui, mais je n'ai pas réfléchi. Je n'étais pas prêt. Je ne voulais pas qu'ils inventent une histoire sur nous. Sur vous.

C'est gentil. Mais ils peuvent dire ce qu'ils veulent, je compte bien profiter de nos nuits ensemble. Le temps qu'elles dureront.

Il la regarda. Pourquoi dites-vous ça de cette manière ? On dirait moi l'autre jour. Vous ne croyez pas qu'elles dureront ? Et pendant un bout de temps ?

Je l'espère, dit-elle. Je vous ai expliqué que je ne voulais plus vivre comme ça... pour les autres, ce qu'ils pensent, ce qu'ils croient. Je ne trouve pas que ce soit une façon de vivre. En tout cas pas pour moi.

Bravo. J'aimerais avoir votre bon sens. Vous avez raison, bien sûr.

Vous êtes calmé maintenant?

Je ne vais pas tarder.

Vous voulez une autre bière?

Non. Mais si vous voulez reprendre du vin, je resterai là avec vous le temps que vous le buviez. Je me contenterai de vous regarder.

8.

J'ai grandi à Lincoln, dans le Nebraska, dit-elle. Nous habitions au nord-est de la ville. Nous avions une jolie maison à bardeaux de deux étages. Mon père était un homme d'affaires plutôt prospère et ma mère était excellente maîtresse de maison et bonne cuisinière. C'était un quartier à la fois bourgeois et ouvrier. Je n'avais qu'une sœur. On ne s'entendait pas. Elle était plus dynamique et plus ouverte, avec un naturel assez sociable que je ne partageais pas. J'étais d'un tempérament calme, studieux. Après le lycée je suis allée à l'université et j'ai continué à habiter en famille en prenant le bus pour aller à mes cours. J'ai commencé par étudier le français puis j'ai changé pour devenir professeur des écoles.

J'ai rencontré Carl en deuxième année, on a commencé à se fréquenter, et à vingt ans j'étais enceinte.

Vous n'aviez pas peur?

Pas du bébé. Non. Pas d'en avoir un. Mais je ne savais pas comment on se débrouillerait. Carl avait encore un an et demi avant son diplôme. Le jour de Noël il m'a rejointe chez mes parents – il habitait Omaha – et en chœur on leur a annoncé la nouvelle après le dîner, alors qu'on était tous dans le salon. Ma mère s'est simplement mise à pleurer. Mon père était furieux. Je vous croyais plus malin que ça. Il fixait Carl du regard. Bon sang, qu'est-ce qui cloche chez vous ? Il n'a rien qui cloche, j'ai dit. C'est arrivé, c'est tout. Enfin, bon Dieu, c'est pas arrivé tout seul. C'est sa faute à lui. On était deux, papa. Nom de Dieu, il a dit.

Nous nous sommes mariés en janvier et nous nous sommes installés dans un minuscule appartement sombre dans le centre de Lincoln, j'ai pris un emploi temporaire de vendeuse dans un grand magasin et nous avons attendu. Le bébé est arrivé une nuit de mai. Ils n'ont pas voulu de Carl dans la salle de travail. Puis nous avons ramené le bébé à la maison et nous avons été heureux et très pauvres.

Vos parents ne vous ont pas aidés ?

Pas beaucoup. Carl ne voulait pas de leur aide. Remarquez, moi non plus.

C'était votre fille, donc. Je ne la pensais pas si âgée.

Oui, c'était Connie.

Je ne me souviens d'elle que vaguement. Je sais comment elle est morte.

Oui. Addie se tut et remua dans le lit. Je parlerai de ça une autre fois. Là, je vais juste vous raconter que quand Carl a décroché son diplôme nous voulions tous les deux venir dans le Colorado. Nous étions allés à Estes Park pour de courtes vacances et nous avions aimé les montagnes. Nous avions besoin de partir de Lincoln et de quitter tout ça. Recommencer dans un endroit nouveau. Carl a trouvé un boulot de vendeur d'assurances à Longmont et nous avons vécu là-bas quelques années, puis quand le vieux M. Gorland ici à Holt a décidé de prendre sa retraite, nous avons emprunté de l'argent et emménagé ici et Carl a repris son cabinet d'assurances et sa clientèle. Nous n'avons pas bougé depuis. C'était en 1970.

Comment avez-vous fait pour tomber enceinte ?

Que voulez-vous dire ? Comment tombe-t-on enceinte, en général ?

C'est que, dans mon souvenir, on faisait tous très attention et on avait plutôt la frousse à l'époque.

Mais on était jeunes, aussi. Carl et moi étions amoureux. L'histoire classique. Tout était nouveau et excitant.

Ah ça, j'imagine.

Elle lâcha la main de Louis et s'écarta, toute raide dans le lit. Il se tourna pour la regarder sous la faible lumière.

Pourquoi agissez-vous comme ça ? dit-elle. Qu'est-ce qu'il y a ?

Je ne sais pas.

C'est des détails que vous voulez ?

Je suppose.

Sur l'aspect sexuel ?

Je ne suis pas aussi bête, d'habitude. Je me sens juste un peu jaloux ou que sais-je.

En pleine campagne sur un chemin de terre dans le noir sur la banquette arrière. C'est ça que vous voulez savoir ?

Je vous autorise à me traiter de foutu enfoiré, dit Louis. D'imbécile fini.

D'accord. Vous êtes un imbécile fini d'enfoiré.

Merci, dit-il.

De rien. Mais vous risquez de tout bousiller entre nous. Vous le savez. Autre chose ?

Vos parents, ils ont fini par digérer ?

En fait, ils aimaient bien Carl, au fond. Ma mère avait toujours trouvé que c'était un beau brun. Et mon père voyait bien que Carl était travailleur et qu'il prendrait soin de nous. Ce qu'il a fait, bien sûr. Nous avons traversé des périodes difficiles. Mais la plupart du temps, sur le plan financier, après les sept ou huit premières années, nous avons été à l'abri du besoin. Carl gagnait correctement sa vie.

Et puis à un moment donné vous avez eu un petit garçon en plus de votre fillette.

Gene. Quand Connie avait six ans.

9.

Addie gara sa voiture dans la ruelle derrière la maison de sa voisine Ruth et rejoignit la porte de derrière. La vieille dame attendait, assise dans un fauteuil sous le porche. Elle avait quatre-vingt-deux ans. Elle se leva quand Addie arriva et les deux femmes descendirent lentement le perron, Ruth cramponnée au bras d'Addie. Une fois à la voiture, Addie aida la vieille dame à monter puis attendit qu'elle ait bien rangé ses jambes maigres et ses pieds pour lui attacher sa ceinture et fermer la portière. Elles se rendirent à l'épicerie sur la grand-route au sud-est de la ville. Il y avait seulement quelques autos sur le parking, une matinée d'été sans grande affluence. Elles entrèrent et, Ruth agrippée au chariot, elles parcoururent lentement les allées, regardant, prenant leur temps. La vieille dame n'avait pas envie ni besoin de grand-chose, il lui fallait simplement des briques ou des boîtes de conserve, ainsi qu'une miche de pain et un sachet de petites barres Hershey dans leur papier alu. Vous ne prenez rien, vous ? demanda-t-elle.

Non, dit Addie. J'ai fait les courses l'autre jour. Je vais juste prendre du lait.

Je ne devrais pas manger ce chocolat mais qu'est-ce que ça change à l'âge que j'ai. J'ai l'intention de manger tout ce que je veux.

Elle mit des boîtes de soupe et de ragoût dans son chariot, des plats surgelés, plusieurs paquets de céréales, un litre de lait et des bocaux de confiture de fraises.

Ce sera tout ?

Je crois.

Vous ne voulez pas de fruits ?

Je ne veux pas de fruits frais. Ils ne feront que se gâter. Elles gagnèrent le rayon des fruits en conserve où Ruth attrapa deux boîtes de pêches dans leur sirop sucré et aussi des poires, puis un paquet de cookies aux flocons d'avoine piqués de raisins secs. À la caisse l'employée regarda la vieille dame et dit : Vous avez tout trouvé, madame Joyce ? Tout ce que vous vouliez ?

Je me suis pas trouvé de brave homme. J'en ai pas vu dans les rayons. Non, j'ai pas réussi à trouver de brave homme dans les rayonnages.

Ah bon ? Pourtant parfois ils sont moins loin qu'on croit. Elle jeta un bref coup d'œil à Addie qui se tenait à côté de la vieille dame.

Combien ça fait ? demanda Ruth.

La caissière le lui dit.

Votre chemisier a une tache, dit Ruth. Il n'est pas propre. Vous ne devriez pas venir travailler habillée comme ça.

La caissière baissa les yeux. Je ne vois rien.

Ça n'empêche.

Sortant son argent de son vieux porte-monnaie en cuir souple, elle compta lentement la somme dans sa main puis posa les billets et les pièces bien en ordre sur le comptoir.

Elles retournèrent à la voiture et Addie mit les provisions sur la banquette arrière avant de monter.

Ruth regardait droit devant elle. Sur la grandroute, voitures, fourgons à bestiaux et camions de grain défilaient. Il m'arrive de détester cet endroit, dit-elle. De regretter de pas être partie quand j'aurais pu. Ces pauvres minables de provinciaux. Tellement étriqués.

Vous parlez de cette caissière.

Elle, oui, et tous ceux comme elle.

Vous la connaissez?

C'est une fille Cox. Sa mère était exactement pareille. Elle prétendait connaître les histoires de tout le monde. Aussi commère que celle-là. Je lui flanquerais volontiers une bonne baffe.

Donc vous êtes au courant pour Louis et moi, dit Addie.

Je me lève de bonne heure le matin. J'ai du mal à dormir. Je m'installe dans le salon de devant et je regarde le soleil pointer au-dessus des maisons de l'autre côté de la rue. Je vois Louis qui rentre chez lui au petit matin.

Je savais que quelqu'un le verrait. Ça n'a pas d'importance.

J'espère que vous prenez du bon temps.

C'est un brave homme. Vous ne croyez pas?

Si. Mais le bilan n'est pas définitif. Il a toujours été gentil avec moi, en tout cas. Il tond ma pelouse et déneige mes allées en hiver. Il avait commencé à m'aider avant la mort de Diane. Mais ce n'est pas un

39

saint. Il a causé sa part de souffrances. Je pourrais vous raconter. Sa femme aurait pu aussi.

Je ne pense pas que ce sera nécessaire, dit Addie.

C'était il y a longtemps, de toute façon, dit Ruth. Il y a des années. Je crois que sa femme s'en était plus ou moins remise. On s'en remet, en général.

10.

Parlez-moi de l'autre femme, dit Addie.

Que voulez-vous dire?

Celle avec qui vous avez eu une liaison.

Vous êtes au courant?

Comme tout le monde.

Elle était mariée, dit Louis. Tamara. C'était son nom. Ça l'est toujours si elle est encore en vie. Son mari était infirmier, il travaillait de nuit à l'hôpital ici en ville. C'était rare qu'un homme soit infirmier à l'époque. Les gens ne savaient pas quoi en penser. Ils avaient une petite fille de quatre ans environ, un an de plus que Holly. Une blondinette maigre et coriace. Son père, le mari de Tamara, était un grand blond plutôt costaud. Un brave type, en fait. Il rêvait d'écrire des nouvelles. Je suppose qu'il en écrivait parfois la nuit à l'hôpital. Leur couple avait déjà connu des problèmes et elle avait eu une liaison avec quelqu'un quand ils vivaient dans l'Ohio. Elle était prof au lycée comme moi. Je n'étais là que depuis deux ans quand elle a été embauchée.

Elle enseignait quoi?

Prof d'anglais elle aussi. Classes de troisième et seconde. Les éléments de base.

Vous donniez les cours de niveau supérieur.

Oui, j'étais là depuis plus longtemps. Enfin bref, elle était malheureuse en ménage et entre Diane et moi ça n'allait pas fort non plus.

Pourquoi donc?

À cause de moi, surtout. Mais de nous deux aussi. On n'arrivait pas à se parler. On se disputait, elle se mettait à pleurer puis elle quittait la pièce en refusant d'aller au bout de la discussion ou de la dispute. Ça ne faisait qu'aggraver les choses.

Et alors au lycée un de vous deux a fait une tentative, a risqué un geste, dit Addie.

Oui. Elle a mis sa main sur mon bras un jour où on était seuls dans la salle des profs et elle m'a demandé : Vous allez vous décider à me dire quelque chose? Comme quoi? lui ai-je répondu. Comme voulez-vous sortir boire un verre, par exemple? Je ne sais pas, ai-je fait. Vous voulez que je vous le propose? À votre avis? C'était en avril, à la mi-avril. J'avais rempli nos déclarations de revenus pour l'année et le 15, après le dîner, je suis allé mettre nos feuilles d'impôts à la poste pour qu'elles partent à temps, et puis en passant en voiture devant sa maison je l'ai vue assise à sa table de salle à manger en train de corriger des copies, alors je me suis garé plus bas dans la rue, j'ai rejoint son porche, j'ai frappé et elle est venue ouvrir. Elle était déjà en peignoir. Vous êtes seule? je lui ai demandé.

Pamela est ici mais elle est déjà couchée. Entrez donc.

Alors je suis entré.

C'est comme ça que ça a commencé ?

Oui, à la date butoir des impôts. Ça paraît dingue, hein.

Je ne sais pas. Ces choses-là arrivent de toutes sortes de manières.

Vous êtes passée par là.

Disons que je sais comment ces choses-là arrivent dans la vie des gens.

Vous me raconterez ?

Peut-être. Un jour. Alors vous avez fait quoi ?

J'ai quitté Diane et Holly et je me suis installé avec elle. Son mari est parti, il est allé habiter chez un ami. Et, enfin bon, on s'est bien entendus pendant quelques semaines. C'était une femme à la beauté dure et farouche, avec de longs cheveux bruns et des yeux foncés qui au lit devenaient un peu comme ceux d'un animal sauvage, et elle avait une peau merveilleuse, comme du satin. Elle avait un corps assez maigre.

Vous êtes encore amoureux d'elle.

Non. Mais un peu, je crois, du souvenir que j'ai d'elle. Bien sûr ça a mal tourné en fin de compte. Un soir son mari est passé alors qu'on était en train de dîner dans la cuisine. Tamara, sa petite fille et moi. On était assis là à la table en train de discuter avec son mari comme si on était des gens modernes et sophistiqués, capables de briser des mariages et de continuer comme si on était libres. Mais je n'ai pas pu continuer. Je me dégoûtais. Son mari là à la table avec elle et la petite fille. Je me suis levé, j'ai quitté la maison et j'ai roulé dans la campagne : les étoiles brillaient et il y avait les lumières des fermes et des cours de ferme qui paraissaient bleues dans le noir.

43

Tout paraissait normal, sauf que plus rien n'était normal, tout semblait comme au bord du précipice, et tard ce soir-là je suis revenu. Elle était au lit en train de lire. J'ai dit : Je ne peux pas faire ça.

Tu t'en vas ?

Il le faut. Cette histoire va faire du mal à trop de gens. Elle en a déjà fait. Et moi qui m'escrime à être un père pour ta fille alors que ma propre fille est en train de grandir sans moi. Je dois rentrer ne serait-ce que pour elle.

Tu vas partir quand ?

Ce week-end.

Alors viens te coucher. Nous avons encore deux nuits.

Je me souviens de ces nuits. Comment c'était.

Ne me racontez pas. Je ne veux pas savoir.

Non. Je ne vous raconterai pas. Au moment de partir, je pleurais. Elle aussi.

Et après ?

Je suis allé retrouver Diane et Holly. Je me suis réinstallé dans la maison, j'ai habité au rez-de-chaussée en dormant sur le canapé. Diane n'a presque pas commenté l'épisode. Elle ne s'est pas montrée vindicative, agressive ou mesquine. Elle voyait bien que je me sentais atrocement mal. Et je ne crois pas qu'elle avait envie de me perdre ou de perdre l'existence qu'on avait.

Et puis pendant l'été un de mes vieux amis de fac est venu de Chicago et il a voulu aller à la pêche. Je l'ai emmené dans la White Forest au-dessus de Glenwood Springs, mais ça ne lui a pas plu, il n'avait pas l'habitude des montagnes. Quand je lui ai fait descendre un sentier escarpé pour rejoindre un cours d'eau, il a eu peur qu'on soit perdus. La pêche a été bonne pourtant, mais ça ne comptait pas. On est retournés à Holt et Diane m'a accueilli à la porte. Holly dormait, elle faisait sa sieste de l'après-midi, et on est allés directement au lit, ça nous a pris comme ça spontanément, comme une sorte d'urgence irréfléchie, pendant que mon ami, au rez-de-chaussée, nous attendait pour dîner. Et voilà. Rideau!

Et Tamara, vous ne l'avez jamais revue?

Non. Mais elle est revenue à Holt. Elle avait emménagé au Texas à la fin de l'année scolaire et accepté un poste là-bas. Puis elle est revenue à Holt et m'a téléphoné. C'est Diane qui a répondu. Elle a dit : Quelqu'un veut te parler. Qui est-ce? Elle n'a pas pipé mot, s'est contentée de me tendre l'appareil.

C'était elle. Tamara. Je suis ici en ville. Tu veux bien qu'on se voie?

Je ne peux pas. Non. Je ne peux pas faire ça.

Tu ne veux plus me revoir?

Je ne peux pas.

Diane était dans la cuisine à écouter. Mais ce n'était pas ça. J'avais pris ma décision. Il fallait que je reste avec elle et notre fille.

Et après?

Tamara est repartie au Texas et a commencé ses cours là-bas. Diane m'a autorisé à rester.

Où est-elle aujourd'hui?

Je ne sais pas. Son mari et elle ne se sont jamais réconciliés. Alors il y avait ça aussi. Je n'aime pas penser au rôle que j'ai joué dans leur séparation. Elle était de l'Est. Du Massachusetts. Peut-être qu'elle est retournée là-bas.

Vous ne lui avez jamais reparlé?

Non.

Je continue à croire que vous êtes amoureux d'elle.

Je ne suis pas amoureux d'elle.

À vous entendre, on dirait.

Je ne l'ai pas traitée convenablement.

Non, c'est vrai.

Je le regrette.

Et Diane, dans tout ça?

Elle n'a jamais dit grand-chose après. Elle avait été meurtrie et en colère quand ça a commencé. Plus à ce moment-là que par la suite... davantage de pleurs, je veux dire. Je suis sûr qu'elle se sentait rejetée et maltraitée. Et pour cause. Seulement voilà, les craintes de sa mère ont déteint sur notre petite fille et elles sont sans doute en partie responsables de ce qu'elle ressent aujourd'hui envers les hommes, y compris moi. Elle a l'impression qu'il lui faut se comporter d'une certaine façon, sans quoi elle sera abandonnée. Mais je crois que je regrette plus d'avoir fait du mal à Tamara que d'en avoir fait à ma femme. J'ai trahi mes aspirations, dirais-je. J'ai raté une sorte d'appel à être autre chose qu'un médiocre prof de lycée dans une petite ville balayée de poussière.

J'ai toujours entendu dire que vous étiez un bon prof. Les gens en ville le pensent. Vous avez été un bon prof pour Gene.

Un bon, peut-être. Mais pas un grand. Ça, je le sais.

11.

Vous avez dit que vous vous en souveniez, dit Addie.

En partie. C'était en été, non ?

Le 17 août. Une splendide et chaude journée d'été.

Ils jouaient tous les deux dans le jardin de devant. Connie avait branché le tuyau. Il y avait au bout un arroseur à l'ancienne, le genre qui projette l'eau en éventail, si bien qu'ils pouvaient traverser le jet en courant. Elle et Gene. Il avait cinq ans à l'époque. Elle en avait onze, encore juste assez jeune pour jouer avec lui. Ils étaient en maillot de bain et n'arrêtaient pas de courir à travers le jet d'eau, de sauter par-dessus l'arroseur en poussant des cris. Ou bien elle le prenait par la main et le faisait passer en position accroupie au-dessus des gicleurs. Je les regardais s'amuser, et puis à un moment il a dévissé l'arroseur et s'est mis à la poursuivre dans le jardin en l'aspergeant avec le tuyau, ils beuglaient et riaient tous les deux, et je suis retournée dans la cuisine surveiller le dîner, je préparais de la soupe, quand j'ai entendu un crissement de pneus et un hurlement atroce. Je me suis précipitée par la porte d'entrée, un homme se tenait devant sa voiture, et Gene pleurait, il gémissait, en regardant la chaussée devant la voiture de l'homme. J'ai accouru. Connie gisait en maillot de bain sur la chaussée comme un pantin désarticulé : du sang coulait de ses oreilles, de sa bouche et de l'entaille sur son front, ses jambes étaient rabattues sous son corps, et ses bras écartés de façon biscornue. Gene continuait à hurler et à pleurer, la plainte la plus désespérée que j'aie jamais entendue.

L'homme qui conduisait la voiture – il a déménagé depuis – n'arrêtait pas de répéter : Oh mon Dieu. Oh mon Dieu. Oh mon Dieu. Oh mon Dieu.

Vous n'êtes pas obligée d'en dire plus, dit Louis. Vous n'êtes pas obligée de me raconter. Je me souviens maintenant.

Non. Il faut que je vous raconte. Quelqu'un a appelé l'ambulance. Je n'ai jamais su qui. Ils sont arrivés, ils l'ont mise sur un brancard et j'ai grimpé avec eux. Gene pleurait toujours, je lui ai demandé de monter avec moi. Les ambulanciers ne voulaient pas, mais j'ai dit : Nom de Dieu, il vient. Maintenant démarrez.

Elle avait une affreuse entaille à la tête, déjà enflée et sombre, et le sang continuait à couler de ses oreilles et de sa bouche. Ils m'ont donné des serviettes pour essuyer. Je tenais sa tête sanglante sur mes genoux et on a filé, accompagnés par l'horrible sirène, et à l'hôpital ils l'ont emmenée par l'entrée de derrière à l'opposé du parking. L'infirmière a dit : Par là, allez-y, mais je ne crois pas que ce soit l'endroit idéal pour ce petit garçon. Je vais demander qu'on le conduise dans la salle d'attente. Gene s'est remis à hurler, la réceptionniste l'a embarqué et on est entrés dans la salle des urgences. Ils ont allongé Connie sur le lit et le médecin est arrivé. Elle était encore en vie à ce moment-là. Mais inconsciente. Ses yeux étaient fermés et elle avait du mal à respirer. Un de ses bras était cassé et elle avait des côtes fracturées. Ils ne savaient pas encore ce qu'elle avait d'autre. Je leur ai demandé d'appeler Carl à son bureau.

Je suis restée avec elle. Au bout de quelque temps Carl est reparti à la maison avec Gene, pour s'occuper de lui, et j'ai passé la nuit auprès d'elle. Vers quatre heures du matin elle s'est réveillée plusieurs minutes et m'a dévisagée. Je pleurais et elle se bornait à me dévisager, elle ne disait rien, puis elle a inspiré plusieurs fois et ça a été fini. Elle était partie. Je l'ai prise dans mes bras, je l'ai bercée et j'ai pleuré toutes les larmes de mon corps. L'infirmière est entrée. Je lui ai demandé de prévenir Carl.

Le reste de la journée est un mélange un peu confus. Nous avons organisé son enterrement et le soir nous sommes allés au salon funéraire. Une fois son corps embaumé, nous avons permis à Gene de la voir. Il ne l'a pas touchée. Il avait trop peur.

C'est bien normal.

Oui. Ils l'avaient énormément maquillée pour masquer les vilaines ecchymoses sur sa figure, ils avaient fermé l'entaille sur son front et elle portait une de ses robes bleues. Deux jours plus tard elle était enterrée, ou plutôt son corps était enterré, là-bas au cimetière. J'ai parfois l'impression que je peux encore m'adresser à elle. Parler à son esprit. Ou à son âme, si vous préférez. Mais elle semble aller bien aujourd'hui. Elle m'a dit un jour : Je vais bien. Ne t'inquiète pas. Et je veux le croire.

49

Bien sûr, dit Louis.

Carl voulait qu'on déménage et qu'on s'installe ailleurs en ville mais j'ai refusé... je ne voulais pas quitter cet endroit. J'ai dit : Ça s'est passé juste devant cette maison. C'est là qu'elle est morte. C'est un lieu sacré pour moi. Alors nous n'avons pas déménagé. On aurait peut-être dû, pour le bien de Gene.

Il ne s'en est jamais remis.

Aucun de nous ne s'en est remis. Mais c'était à cause de lui si elle avait couru dans la rue au-devant de la voiture. Il n'était qu'un petit garçon qui poursuivait sa sœur avec un tuyau d'arrosage. Par la suite, votre femme est passée plusieurs fois prendre de mes nouvelles. C'était gentil de sa part. J'y ai été sensible. Je lui en étais reconnaissante. La plupart des gens se sentaient trop mal à l'aise pour dire quoi que ce soit.

J'aurais dû venir avec elle.

Ç'aurait été bien.

Ça s'appelle un péché par omission, dit Louis.

Vous ne croyez pas aux péchés.

Je crois qu'on peut manquer de courage, comme je vous l'ai dit. Et ça c'est un péché.

N'empêche, vous êtes ici aujourd'hui.

Et aujourd'hui c'est ici que je veux être.

12.

Je ne vais pas venir pendant quelques jours, dit Louis.

Pourquoi donc?

Holly vient pour le week-end du Memorial Day. Je crois qu'elle veut me botter les fesses.

Comment cela?

Je crois qu'elle a eu vent de notre histoire. Je crois qu'elle veut que je me tienne bien.

Et vous en pensez quoi?

De bien me tenir? Mais je me tiens bien. Je fais ce dont j'ai envie et ça ne fait de mal à personne. J'espère d'ailleurs que c'est vrai pour vous aussi.

Ça l'est.

Je vais devoir écouter ses doléances. Mais ça ne changera rien. Je ne lui obéirai pas plus qu'elle ne m'obéit concernant les types avec qui elle sort. Elle dégote toujours des zigues qui ont besoin d'une béquille et qui s'appuient sur elle. Elle s'occupe d'eux pendant environ un an puis elle en a assez ou bien quelque chose foire et elle se retrouve seule quelque temps, jusqu'à ce qu'elle tombe sur un autre zigue dont s'occuper. Elle est dans une période « sans » en ce moment.

Vous m'appellerez quand vous pourrez revenir ?

13.

Le lendemain Holly arriva en voiture de Colorado Springs. Louis l'accueillit à la porte et l'embrassa. Ils dînèrent à la table de pique-nique dans le jardin de derrière. Puis ils firent la vaisselle ensemble et allèrent boire du vin au salon.

Je pense aller en Italie deux, trois semaines cet été, dit-elle. À Florence, pour un cours de gravure.

Tu as raison. Ça me paraît bien.

J'ai déjà réservé les billets d'avion. On m'a acceptée dans un atelier de sérigraphie.

Formidable. Tu as besoin d'un coup de pouce financier?

Non, papa. Tout va bien. Elle le regarda un moment. Mais je me fais du souci pour toi.

Ah bon? C'est vrai?

Oui. Qu'est-ce que tu fabriques avec Addie Moore?

Je m'amuse bien.

Et maman, qu'est-ce qu'elle dirait?

Je ne sais pas, mais je pense que ta mère comprendrait. Elle était bien plus capable de pardon et de compréhension que les gens n'imaginaient. Elle était sage, à bien des égards. Elle voyait les choses de manière plus noble que la majorité des gens.

Mais, papa, ce n'est pas bien. Je ne savais même pas que tu t'intéressais à Addie Moore. Ni même que tu la connaissais tant que ça.

En effet. Je la connaissais à peine. Mais c'est justement ce qui est amusant. Apprendre à bien connaître quelqu'un à un âge aussi avancé. Découvrir qu'on aime bien cette personne et s'apercevoir qu'on n'est pas complètement desséché en fin de compte.

Ça semble surtout gênant.

Pour qui? Pas pour moi.

Mais les gens sont au courant.

Bien sûr que oui. Et je m'en fiche pas mal. Qui te l'a raconté? Sûrement une de tes coincées de copines ici en ville.

C'était Linda Rogers.

Ça ne m'étonne pas d'elle.

En tout cas, elle a estimé qu'il fallait que je sache.

Bon maintenant tu sais. Et tu veux que j'arrête, c'est ça? À quoi ça servirait? Les gens sauraient quand même qu'on a été ensemble.

Mais ce ne serait pas pareil. Ils n'auraient pas ça sous le nez tous les jours.

Tu te préoccupes trop de ce que pensent les gens.

Il faut bien que quelqu'un le fasse.

Moi j'ai arrêté. J'ai au moins appris ça.

Avec elle?

Oui. Avec elle.

Je ne la voyais pas comme une progressiste ou une femme légère.

Il ne s'agit pas de légèreté. C'est une réflexion d'ignorante.

Il s'agit de quoi, alors ?

Une sorte de décision d'être libre. Même à nos âges.

Tu te conduis comme un adolescent.

Je ne me suis jamais conduit comme un adolescent. Je n'ai jamais rien osé. J'ai fait ce que j'étais censé faire. Attitude que tu connais, si je puis me permettre. J'aimerais que tu trouves quelqu'un d'autonome et d'entreprenant. Quelqu'un qui t'accompagne en Italie, qui en se levant un samedi matin t'emmène dans les montagnes pour que vous vous promeniez sous la neige, et que tu rentres ensuite chez toi gorgée de cette foule de sensations.

Je déteste quand tu parles comme ça. Lâche-moi, papa. Je compte vivre ma propre vie.

C'est valable pour nous deux. On peut conclure un pacte à ce sujet ? Un pacte de paix.

N'empêche, je continue de penser que tu devrais réfléchir.

J'ai réfléchi, et ça me plaît comme ça.

Tu fais chier, papa.

Le lendemain Holly reçut un coup de fil. Elle en parla à Louis.

C'était Julie Newcomb. Exactement comme Linda Rogers, il fallait qu'elle me raconte, pour toi. J'ai répondu que je savais déjà. J'ai dit : Mais je suis contente que t'aies appelé. Je pensais justement à toi l'autre jour. J'étais au restau et comme j'ai commandé de l'agneau je me suis demandé si ton mari se tapait toujours des moutons. Elle a répliqué : Va te faire foutre, salope, je voulais te rendre service. Et elle a raccroché.

T'as eu de la repartie, dis donc.

Bah, j'ai jamais pu la sentir. N'empêche, c'est quand même gênant.

Ça, mon chou, c'est ton problème, pas le mien. Je te l'ai expliqué, moi ça ne me gêne pas. Et Addie Moore non plus.

14.

À la longue j'en étais venu à admirer certaines de ses qualités, dit Louis. C'était quelqu'un de bien, qui avait une véritable éthique personnelle. Elle refusait de faire ce que les autres attendaient d'elle. On tirait pas mal le diable par la queue dans les années du début, mais elle n'a jamais voulu faire carrière. Elle avait ses propres idées. Elle voulait son indépendance. Je ne sais pas si ça la rendait heureuse, pourtant. Aujourd'hui les gens prétendent que la vie est un voyage, alors on pourrait dire que c'était sa conception des choses. Elle avait plein d'amies ici. Elles se réunissaient chez les unes ou les autres pour parler de leurs vies et de leurs aspirations de femmes. Je suis sûr que Diane parlait de notre couple. Le mouvement de libération des femmes commençait à être très influent. Mais on avait aussi d'autres problèmes. En tout cas je trouvais assez piquant d'être celui qui s'occupait de notre fille le soir pendant que sa mère était ailleurs à se plaindre de moi à ses amies. La situation ne manquait pas de sel. Et puis il y a eu cet épisode avec Tamara.

Je croyais que vous aviez dit qu'elle avait pardonné, dit Addie.

Je pense qu'elle m'avait pardonné, oui. Je pense qu'elle voulait me récupérer à l'époque. Mais je suis sûr que ça venait sur le tapis dans leurs conversations. Je me doutais que ses amies ne voyaient pas la chose du même œil. Mais Diane aimait Holly. Depuis le début. Elles avaient toujours été très proches. Diane s'est confiée à elle de bonne heure. Je ne trouvais pas ça bien, de parler à une enfant de cette façon, de tout lui raconter. Mais elle le faisait quand même. Elle voulait attirer Holly dans ses filets.

Vous ne m'avez pas dit comment vous vous étiez rencontrés.

Ah. Eh bien, on s'est rencontrés comme Carl et vous, d'après ce que j'ai compris. On s'est rencontrés à la fac à Fort Collins. On s'est mariés après avoir obtenu nos diplômes. C'était une belle jeune femme. Nous ne savions pas du tout comment tenir un logis. Elle n'avait jamais cuisiné dans son adolescence, ni accompli beaucoup de tâches ménagères : c'était sa mère qui se chargeait de tout ça. Quant à moi, j'ai grandi ici à Holt.

Oui, ça je le sais.

Pendant deux, trois ans après nos diplômes, j'ai enseigné dans une petite école du Front Range, et quand un poste s'est libéré au lycée de Holt on m'a engagé, je suis revenu au pays et je n'en suis jamais reparti. Ça fait maintenant quarante-six ans. On a eu notre fille, et comme j'ai dit, Diane n'a pas cherché à travailler une fois Holly entrée à l'école.

Je n'ai pas vraiment fait carrière non plus.

Vous avez travaillé, en tout cas.

J'ai travaillé mais je n'ai pas embrassé une carrière comme vous. J'ai été secrétaire-réceptionniste dans le cabinet de Carl pendant environ un an, seulement on se tapait sur les nerfs à être ensemble toute la journée puis à nouveau le soir à la maison. Ça faisait trop de temps passé ensemble, alors j'ai travaillé à la banque un petit moment, puis aux services municipaux comme employée de bureau. Je suis sûre que ça vous le savez. C'est la place que j'ai occupée le plus longtemps. J'ai vu et entendu toutes sortes de choses là-bas. Ce que les gens sont capables de faire. Dans quels pétrins ils vont se fourrer. Un boulot assez fastidieux, à part ces histoires qu'on apprenait sur les gens.

Enfin, toujours est-il que Diane est restée elle-même, dit Louis. Jusqu'au bout. Comme j'ai dit, je m'en rends bien compte aujourd'hui. Mais à l'époque, non. Remarquez, à vingt ans, au début de notre mariage, on ne savait rien. On marchait simplement à l'instinct, avec les schémas appris en grandissant.

15.

Un soir de juin, Louis dit : J'ai eu une idée aujourd'hui. Vous voulez l'entendre ?

Bien sûr.

Bon, je vous ai parlé de Dorlan Becker à la boulangerie et de sa remarque sur nous, et je vous ai parlé des anciennes camarades de lycée de Holly qui lui ont téléphoné.

Oui, et moi je vous ai raconté l'épicerie avec Ruth, et ce que la caissière a dit. Et la réplique de Ruth.

Alors voilà mon idée. On va faire de nécessité vertu. Allons en ville en pleine journée, déjeunons au Holt Café, descendons la grand-rue, prenons notre temps et amusons-nous.

Quand voulez-vous faire ça ?

Ce samedi à midi quand il y a le plus de monde au café.

D'accord. Je serai prête.

Je passerai vous prendre.

Peut-être même que je mettrai une tenue bien colorée et bien tape-à-l'œil.

Exactement, dit Louis. Et moi une chemise rouge.

Le samedi il arriva chez elle un peu avant midi et elle sortit vêtue d'une robe bain de soleil jaune tandis que lui arborait une chemise western à manches courtes rouge et vert. Depuis Cedar Street ils longèrent quatre pâtés de maisons jusqu'à Main Street, où ils passèrent devant les commerces jalonnant ce côté-là de la rue – la banque, la boutique de chaussures, la bijouterie et le grand magasin –, avec leurs fausses devantures à l'ancienne. Ils s'arrêtèrent au carrefour de Second Avenue et de Main sous le soleil éclatant de midi le temps que le feu passe au rouge. Addie avait son bras enroulé autour du sien et ils regardaient droit dans les yeux tous ceux qu'ils croisaient, leur disant bonjour et les saluant de la tête. Ils traversèrent la rue pour rejoindre le Holt Café, où il lui ouvrit la porte puis la suivit à l'intérieur. Ils restèrent debout en attendant qu'on les place. Les clients dans la salle les observaient. L'un et l'autre connaissaient à peu près la moitié des gens assis dans le restaurant, ou du moins savaient qui ils étaient.

La serveuse arriva et demanda : Vous serez tous les deux ?

Tous les deux, confirma Louis. Nous aimerions une de ces tables, là, au milieu.

Ils la suivirent à une table et Louis tira la chaise d'Addie puis s'assit à côté d'elle, pas en face d'elle mais tout contre elle. La serveuse prit leur commande alors que Louis tenait la main d'Addie sur la table en regardant alentour. Leurs plats arrivèrent et ils attaquèrent leur repas.

On dirait que ce n'est pas trop la révolution jusqu'ici, dit Louis.

Non. Les gens sont plutôt polis en public. Ils ne veulent pas faire de scandale. Et puis je crois que nous dramatisons de toute façon. Les gens ont d'autres soucis en tête que de s'offusquer à cause de nous.

Durant leur déjeuner, trois femmes firent tour à tour un arrêt à leur table, les saluèrent puis gagnèrent la porte.

La dernière dit : J'ai appris, pour vous deux.

Et qu'avez-vous appris ? demanda Addie.

Oh, que vous vous voyiez. J'aimerais pouvoir faire pareil.

Et pourquoi pas ?

Je ne connais personne. J'aurais trop peur de toute manière.

Vous pourriez vous surprendre.

Oh non. J'en serais incapable. Pas à mon âge.

Ils mangèrent tout doucement puis commandèrent un dessert, sans la moindre précipitation. Leur déjeuner terminé, ils se levèrent et ressortirent dans Main Street. Empruntant cette fois l'autre trottoir, ils passèrent devant les boutiques et les gens qui regardaient dehors par les portes ouvertes : on ne les avait pas fermées histoire de profiter du moindre courant d'air. Puis ils longèrent trois pâtés de maisons pour rallier Cedar Street.

Addie demanda : Et si on se tutoyait ? Tu veux entrer ?

Non. Mais je serai là ce soir.

16.

Addie Moore avait un petit-fils prénommé Jamie qui venait juste d'avoir six ans. Au début de l'été les conflits entre ses parents s'étaient aggravés. Il y avait de violentes disputes dans la cuisine et dans la chambre, des accusations et des récriminations, ses larmes à elle et ses cris à lui. Ils avaient fini par se séparer à titre d'essai et elle était partie habiter chez une amie en Californie, laissant Jamie avec son père. Gene avait appelé Addie pour lui raconter ce qui se passait, lui expliquer que sa femme avait quitté son emploi de coiffeuse et était allée sur la côte Ouest.

Qu'est-ce qui ne va pas? demanda Addie. Quel est le problème?

On ne s'entend pas. Elle refuse de faire la moindre concession.

Quand est-elle partie?

Il y a deux jours. Je ne sais pas quoi faire.

Et Jamie?

C'est pour ça que j'appelle. Est-ce qu'il pourrait venir habiter chez toi quelque temps?

Beverly revient quand?

Je ne sais pas si elle va revenir.

Elle ne va tout de même pas abandonner son fils, si?

Maman, je ne sais pas, je n'ai aucune idée de ce qu'elle va faire. Et puis il y a autre chose que je ne t'ai pas dit. Je n'ai que jusqu'à la fin du mois. Je dois fermer le magasin.

Pourquoi? Que s'est-il passé?

C'est l'économie, maman, ce n'est pas moi. Plus personne ne veut acheter de meubles en ce moment. J'ai besoin de ton aide.

Quand veux-tu me l'amener?

Ce week-end. Je me débrouillerai d'ici là.

Très bien. Mais tu sais comme ces choses-là sont dures pour les jeunes enfants.

Que veux-tu que je fasse d'autre?

Ce soir-là, quand Louis vint chez elle, elle lui fit part du nouvel arrangement.

Je suppose que c'est la fin pour nous deux, dit-il.

Oh mais non, protesta Addie. Donne-lui un jour ou deux, puis tu viendras faire sa connaissance dans la journée et ensuite tu reviendras le soir. Voyons au moins comment ça se passe. J'aurai besoin de ton aide avec lui de toute façon. Si tu veux bien.

Ça fait longtemps que je n'ai pas eu affaire à des petits gamins, dit-il.

Moi pareil.

Qu'est-ce qui cloche entre ses parents? C'est quoi, la situation?

Il est trop autoritaire, trop protecteur, et elle en a assez. Elle est en colère et veut faire des choses par elle-même. Rien de nouveau sous le soleil. Gene ne formule pas la chose comme ça, évidemment.

Ses problèmes sont liés en partie à ce qui est arrivé à sa sœur, j'imagine.

J'en suis convaincue. Je ne peux pas dire, pour Beverly. Je n'ai jamais été proche d'elle. Je ne pense pas qu'elle ait envie de ce genre de complicité avec moi. Et puis il y a autre chose. Il est en train de perdre son magasin. Il a eu cette idée de vendre des meubles en bois brut : les gens les achètent pas cher et ils les peignent eux-mêmes. Je n'ai jamais trop cru à cette idée. Il va être obligé de déposer le bilan. Il m'a annoncé la nouvelle ce matin. Je vais devoir l'entretenir jusqu'à ce qu'il trouve une autre activité. Je l'ai déjà aidé dans le passé. J'ai accepté de recommencer.

Qu'est-ce qu'il a envie de faire ?

Il a toujours été dans la vente.

Je ne l'aurais pas vu dans cette branche, d'après le souvenir que j'ai de lui.

Non. Il n'a pas le profil du commercial. Je crois qu'il a peur à présent. Il refuse de l'avouer.

Mais ça pourrait être pour lui une occasion de s'affranchir. De rompre le cycle. Comme sa mère l'a fait. Comme tu l'as fait.

Seulement voilà, il ne le fera pas. Sa vie est complètement verrouillée. Aujourd'hui il a besoin d'un coup de main et je suis sûre qu'il déteste ça. Il a mauvais caractère et ce travers ressort dans les moments comme celui-là. Il n'a jamais su se montrer sociable et il est furieux d'avoir à me demander quelque chose.

Le samedi matin Gene amena le gamin chez Addie et resta déjeuner. Il alla chercher la valise et les jouets de son fils puis le serra dans ses bras et Jamie pleura quand son père regagna la voiture. Addie l'étreignit lorsqu'il tenta de se libérer. Elle le retint et le laissa pleurer, puis quand la voiture fut partie elle le persuada de revenir dans la maison. Elle parvint à le convaincre de l'aider à préparer la pâte pour les cupcakes, à en garnir les caissettes en papier et à mettre les friandises au four. Après cuisson, ils glacèrent les petits gâteaux. Le gamin en mangea un et but un verre de lait.

J'ai un voisin à qui je veux en apporter. Tu veux bien en choisir deux et nous passerons chez lui ?

Il habite où ?

Plus loin dans la rue.

Lesquels je dois choisir ?

Ceux que tu veux.

Jamie en choisit deux avec moins de glaçage. Addie les mit dans un récipient en plastique, puis ils remontèrent la rue et frappèrent à la porte de Louis. Lorsqu'il vint ouvrir Addie annonça : Voici mon petit-fils, Jamie Moore. Nous t'avons apporté quelque chose.

Voulez-vous entrer ?

Rien qu'une minute.

Ils s'installèrent sur la véranda et observèrent la rue, les maisons silencieuses de l'autre côté, les arbres, les rares voitures qui passaient. Louis interrogea Jamie sur l'école mais le gamin n'avait pas envie de parler et au bout de quelque temps Addie le ramena. Elle prépara le dîner et il joua avec son téléphone portable, puis elle l'emmena à l'étage et dit : C'était la chambre de ton papa quand il était petit. Elle l'aida à ranger ses vêtements puis il alla dans la salle de bains et se brossa les dents. Il revint et s'allongea et elle lui fit un peu la lecture avant d'éteindre la lumière. Elle l'embrassa et dit : Je serai juste de l'autre côté du couloir si tu as besoin de quelque chose.

Tu veux bien laisser la lumière ?

Je vais allumer cette lampe de chevet.

Et laisse la porte ouverte, grand-mère.

Tout ira bien, trésor. Je suis là.

Elle rejoignit sa chambre et se déshabilla puis retourna le voir. Il ne dormait toujours pas, les yeux rivés sur la porte.

Ça va ?

Il jouait à nouveau avec son téléphone.

Je crois que tu devrais ranger ça et dormir maintenant.

Dans une minute.

Non. Je veux que tu le ranges tout de suite. Elle s'approcha du lit, lui prit le téléphone et le posa sur la commode. Maintenant endors-toi, trésor. Ferme les yeux. Elle s'assit au bord du lit et lui caressa le front et la joue, et resta là longtemps.

Dans la nuit elle se réveilla lorsqu'il entra dans sa chambre. Il pleurait et elle le prit dans son lit avec elle en le serrant dans ses bras et à la longue il se rendormit. Au matin il était encore avec elle dans le grand lit.

Elle l'embrassa. Je vais dans la salle de bains. Je reviens dans une minute. Quand elle ressortit il se tenait dans le couloir devant la porte. Trésor, il ne faut pas avoir peur. Je ne vais nulle part. Je ne compte pas te laisser. Je suis là près de toi.

17.

La deuxième nuit ressembla beaucoup à la première. Ils dînèrent puis, ayant déniché des cartes, elle lui apprit un jeu à la table de la cuisine, après quoi ils montèrent à l'étage, où le garçonnet se prépara pour aller au lit. Elle s'installa dans un fauteuil à côté de lui, lui retira son téléphone et lui fit la lecture pendant une heure puis l'embrassa, laissant la lumière allumée et la porte ouverte, avant d'aller lire dans sa chambre. Elle se leva une fois pour vérifier ce qu'il faisait et il était endormi, son téléphone toujours sur la commode. Durant la nuit il entra comme la veille dans sa chambre obscure et elle l'accueillit dans son lit, et le matin il dormait encore lorsqu'elle se réveilla. Ils prirent le petit déjeuner au rez-de-chaussée et sortirent. Elle lui fit faire le tour du jardin, lui indiquant les parterres de fleurs et lui citant le nom des arbres et des arbustes, puis, l'emmenant dans le garage où se trouvait sa voiture, elle lui montra l'établi que Carl utilisait pour réparer les objets, ainsi que les outils accrochés au-dessus au panneau perforé. Le gamin n'était guère passionné.

Puis Louis vint les voir. Je me demandais si tu voulais venir chez moi avec ta grand-mère, dit-il. Je veux
te montrer quelque chose.

Dans le jardin de derrière il y avait un nid de bébés
souris qu'il avait trouvé ce matin-là dans l'angle de
la remise à outils. Ils étaient tout roses et encore
aveugles, et ils se tortillaient en poussant de petits
gémissements. Le gamin en avait un peu peur.

Ils ne te feront pas de mal, dit Louis. Ils sont inof-
fensifs. Ce ne sont que des bébés. Ils tètent encore.
Leur maman ne les a pas encore sevrés. Tu sais ce
que ça veut dire?

Non.

Ça veut dire quand la maman arrête de leur donner
son lait et qu'ils doivent apprendre à manger d'autres
choses.

Ils mangeront quoi, alors?

Des graines et des fragments de nourriture qu'elle
trouvera. On pourra les observer tous les jours et voir
comment ils changent. Maintenant on ferait mieux de
remettre le couvercle pour qu'ils n'attrapent pas froid
et qu'ils ne s'affolent pas. Ils ont eu leur dose d'exci-
tation pour la journée.

Ils quittèrent la cabane et Addie demanda : Tu
n'aurais pas besoin d'aide dans ton jardin aujour-
d'hui?

Un bon assistant ne serait pas de refus.

Peut-être que Jamie pourrait te donner un coup de
main.

Eh bien, posons-lui la question. T'es d'accord pour
me donner un petit coup de main?

Pour faire quoi?

Un peu de désherbage et d'arrosage.

Est-ce que je peux, grand-mère ?

Oui. Reste donc avec Louis. Il te ramènera quand vous aurez fini et nous déjeunerons tous ensemble.

Le gamin n'avait jamais désherbé. Louis dut lui montrer ce qu'il voulait garder dans les rangées et ce dont il ne voulait pas. Ils s'employèrent à cette tâche un moment, mais comme elle n'emballait pas le gamin, Louis s'empara bientôt du tuyau et, réglant le jet au ralenti, il lui montra comment arroser les carottes, les betteraves et les radis à la base sans mettre à nu les racines. Cet exercice lui plut davantage. Puis ils coupèrent l'eau et allèrent chez Addie. Ils se débarbouillèrent dans la salle de bains donnant sur la salle à manger. Elle avait posé le repas sur la table et ils s'installèrent devant des sandwichs, des chips et des verres de citronnade.

Je peux jouer avec mon téléphone maintenant ?

Oui, et ensuite je veux qu'on s'allonge un petit peu.

Le garçon monta dans sa chambre, attrapa son téléphone et s'étendit sur le lit.

Louis dit : Vaudrait mieux que je vienne pas ce soir non plus.

Sans doute que non. Peut-être demain. Cette matinée s'est plutôt bien passée, tu ne trouves pas ?

Il m'a semblé. Mais je ne sais pas ce qui peut trotter dans la tête de ce petit garçon. Ça ne doit pas être facile d'être loin de chez lui.

On verra bien demain.

Le soir, n'arrivant pas à s'endormir, il sortit du lit, récupéra son téléphone et appela sa mère en

Californie. Elle ne répondit pas. Il laissa un message. Maman, où tu es ? Quand est-ce que tu rentres ? Je suis chez grand-mère. Je veux venir là où tu es. Appelle-moi, maman.

Il raccrocha et appela son père. Gene répondit alors que le gamin avait commencé à laisser un message.

Jamie, c'est toi ?

Papa, quand est-ce que tu viens me chercher ?

Pourquoi ? Qu'est-ce qui ne va pas ?

Je veux être avec toi.

Il faut que tu restes chez grand-mère quelque temps. Je suis obligé de m'absenter tous les jours. Tu te souviens, on en a parlé.

Je veux rentrer à la maison.

C'est impossible pour l'instant. Plus tard, quand l'école reprendra.

Ça fait trop long.

Tu vas t'habituer, ça ira mieux. Tu ne t'amuses donc pas ? Qu'est-ce que tu as fait aujourd'hui ?

Rien.

Tu n'as rien fait du tout ?

On a vu des bébés souris.

Où ça ?

Chez Louis.

Louis Waters. Tu es allé là-bas ?

Dans sa cabane. Des tout petits bébés. Leurs yeux sont pas encore ouverts.

Il ne faut pas les toucher.

Je les ai pas touchés.

Tu es allé là-bas avec grand-mère ?

Oui. Et puis on a déjeuné.

Tout ça m'a l'air plutôt chouette.

Mais j'ai envie d'être avec toi.

Je sais. Ce ne sera pas pour longtemps.

Maman a pas répondu au téléphone.

Tu l'as appelée?

Oui.

Quand?

Juste là.

Il est tard. Elle était sans doute en train de dormir.

Mais toi tu as répondu.

Mais je dormais moi aussi. Je me suis réveillé en entendant le téléphone.

Peut-être que maman était dehors avec quelqu'un.

Peut-être. Bon maintenant il faut que tu éteignes ton téléphone et que tu t'endormes. On se reparle bientôt.

Demain.

Oui, demain. Bonne nuit.

Il raccrocha et remit son téléphone sur la commode où Addie l'avait posé. Mais plus tard dans la nuit il se réveilla effrayé et se mit à pleurer et alla dans la chambre de sa grand-mère.

18.

Il dormit à nouveau une partie de cette nuit-là avec Addie. Le matin ils déjeunèrent puis il se rendit tout seul chez Louis et frappa à la porte d'entrée.

Te revoilà, dit Louis. Où est ta grand-mère ?

Elle m'a dit que je pouvais venir vous voir. Elle a dit de vous dire de venir chez elle pour le déjeuner.

OK. Qu'est-ce que tu veux faire ?

Je peux voir les souris ?

Laisse-moi ranger la vaisselle et attraper mon chapeau. Il te faut un chapeau à toi aussi. Ça tape trop là, dehors, quand on n'a rien sur la tête. Tu n'as donc pas de casquette ?

Je l'ai laissée à la maison.

Alors on ferait mieux de t'en trouver une.

Ils rejoignirent la cabane dans le jardin de derrière et Louis souleva le couvercle de la boîte. La mère s'enfuit en escaladant la paroi tandis que les bébés à la peau rose rampaient les uns sur les autres et poussaient de petits couinements. Le garçon se pencha plus près et les examina. Je peux en toucher un ?

Pas encore, ils sont trop petits. Dans une semaine à peu près.

Ils observèrent les souriceaux un moment. L'un d'eux rampa jusqu'au bord de la boîte et dressa sa frimousse aveugle.

Qu'est-ce qu'il fait?

Je ne sais pas. Peut-être qu'il renifle. Il ne peut encore rien voir. Je ferais mieux de leur remettre le couvercle.

Je pourrai les voir demain?

Oui, mais je ne veux pas que tu entres ici sans moi.

Ils travaillèrent à nouveau dans le jardin, à arracher les mauvaises herbes et à arroser les betteraves et les pieds de tomates. À midi ils allèrent chez Addie déjeuner. Quand le garçon monta jouer avec son téléphone, Addie glissa à Louis : Je crois que tu pourrais venir ce soir.

Ce n'est pas trop tôt?

Non, il t'aime bien.

Il ne dit pas grand-chose.

Mais il passe son temps à t'étudier. Il cherche ton approbation.

Je pense vraiment que c'est plutôt dur pour lui en ce moment.

Oui. Mais tu l'aides beaucoup. Je t'en remercie.

J'y prends du plaisir.

Alors tu viendras ce soir?

On va tenter le coup.

Ainsi, à la nuit tombée, Louis arriva chez Addie et elle l'accueillit à la porte. Il est en haut, dit-elle. Je l'ai prévenu que tu serais là.

Comment il l'a pris?

Il voulait savoir dans combien de temps. Et il voulait savoir pourquoi tu venais.

Louis rit. J'aurais aimé entendre ça. Qu'est-ce que tu as répondu ?

J'ai dit que tu étais un bon ami et que parfois nous nous retrouvions le soir et que nous nous allongions pour discuter.

Ma foi, ce n'est pas un mensonge, dit Louis.

Dans la cuisine Louis but sa bouteille de bière, Addie son verre de vin, puis ils montèrent tous les deux dans la chambre du garçonnet. Il jouait avec le téléphone et Addie le posa sur la commode puis lui lut une histoire pendant que Louis était assis dans le fauteuil. Plus tard ils sortirent en laissant la lumière allumée et la porte ouverte et ils allèrent dans la chambre d'Addie. Louis se changea dans la salle de bains et vint se coucher. Ils discutèrent un moment en se tenant la main puis s'endormirent. Dans la nuit les hurlements du gamin les réveillèrent et ils se précipitèrent dans sa chambre. Il était en nage et il pleurait, le regard effaré.

Qu'est-ce qui ne va pas, trésor ? Tu as fait un cauchemar ?

Il continuait à pleurer et Louis le souleva dans ses bras pour l'emmener dans l'autre chambre où il l'installa au milieu du grand lit.

Ce n'est pas grave, fiston, dit Louis. Nous sommes là tous les deux. Tu peux dormir avec nous un moment. On sera de chaque côté. Il regarda Addie. On formera un petit groupe, avec toi au milieu.

Il se mit au lit. Addie quitta la pièce.

Où elle va, grand-mère ?

Elle revient. Elle a juste besoin d'aller aux toilettes.

Addie revint et s'étendit de l'autre côté. Je vais éteindre la lumière maintenant, dit-elle. Mais nous sommes tous là.

Louis prit la main du petit garçon et la garda dans la sienne et tous trois demeurèrent allongés ensemble dans le noir.

Cette bonne vieille obscurité, dit Louis. Douillette et agréable, aucune raison d'être inquiet, aucune raison d'avoir peur. Il se mit à chanter tout doucement. Il avait une belle voix de ténor. Il chanta « Someone's in the Kitchen with Dinah » et « Down in the Valley ». Le gamin se détendit et s'endormit.

Je ne t'avais jamais entendu chanter, dit Addie.

Je chantais dans le temps pour Holly.

Tu n'as jamais chanté pour moi.

Je ne voulais pas te faire fuir. Ou que tu m'éjectes.

C'était gentil, dit-elle. Parfois tu es quelqu'un de vraiment gentil.

Je suppose qu'on va devoir rester comme ça, séparés toute la nuit.

Je t'enverrai de bonnes ondes.

Fais en sorte qu'elles ne soient pas trop coquines. Ça risquerait de troubler mon sommeil.

Sait-on jamais.

19.

Il y eut un soir d'été où Louis emmena Addie, Jamie et Ruth au Shattuck's Café sur la grand-route manger des hamburgers. La vieille voisine était assise devant avec Louis, Addie et le garçonnet à l'arrière. La jeune serveuse prit leurs commandes et revint avec leurs boissons, leurs serviettes et les hamburgers, et ils mangèrent dans la voiture. La grand-route se trouvait derrière eux et il n'y avait pas grand-chose à regarder, juste le jardin derrière une petite maison grise de l'autre côté du parking. Quand ils eurent fini, Louis annonça : On ferait mieux de prendre des *root beer floats* à emporter.

Où est-ce que vous nous emmenez ? demanda Ruth.

Je me disais qu'on pourrait aller regarder du softball.

Hou là là, je n'ai pas fait ça depuis trente ans.

Alors il est temps, dit Louis. Il commanda quatre sodas à la glace puis conduisit la petite troupe au stade situé derrière le lycée. Il s'arrêta sous les projecteurs géants, garant la voiture face au marbre derrière la clôture du grand champ.

Je crois que Jamie et moi on va aller un peu regarder depuis les gradins.

Dans ce cas je vais me mettre devant avec Ruth, dit Addie. On pourra papoter tout en voyant le match.

Armés de leurs *root beer floats*, Louis et le gamin longèrent le grillage devant les autres voitures et grimpèrent sur les gradins en bois placés derrière le marbre. Des gens dirent bonjour à Louis et lui demandèrent qui était le gamin. C'est le petit-fils d'Addie Moore, répondit-il. On est en train de faire connaissance. Ils s'assirent derrière quelques lycéens. Les filles jouaient contre une équipe de la ville voisine et portaient des T-shirts rouges et des shorts blancs. Elles étaient jolies là-bas sous les vives lumières sur l'herbe verte. Elles avaient les jambes et les bras tout bronzés. L'équipe locale menait par quatre points. Comme le gamin avait l'air de ne rien y comprendre, Louis lui expliqua les rudiments qu'il le jugeait capable d'assimiler.

Tu ne joues jamais au softball? demanda Louis.

Non.

Est-ce que tu as un gant?

Je sais pas.

Tu sais ce qu'est un gant de softball?

Non.

Tu vois ce que ces filles ont sur les mains. C'est ça un gant de softball.

Ils regardèrent l'action un moment. Les filles de l'équipe locale marquèrent trois points de plus, les gens dans les tribunes se mirent à brailler à tue-tête, et Louis beugla pour héler une des joueuses. Elle leva les yeux vers les tribunes, le repéra et lui fit signe.

C'est qui?

Une de mes anciennes élèves. Dee Roberts, une fille intelligente.

Dans la voiture Addie et Ruth avaient baissé les vitres. Vous aurez besoin de retourner faire des courses ? demanda Addie.

Non. Je n'ai besoin de rien.

Vous me direz.

Je le fais toujours.

J'ai bien peur que non.

C'est juste que je ne mange plus grand-chose. Mais je n'ai pas faim, alors ça n'a pas d'importance.

Elles regardèrent le match et Addie klaxonnait chaque fois que l'équipe locale marquait.

Je sais que Louis continue à venir vous voir, dit Ruth. Je le vois rentrer chez lui le matin.

On a décidé que ça ne posait pas de problème, même avec Jamie chez moi.

Oui. Les enfants peuvent accepter beaucoup de choses et s'adapter pratiquement à tout, si c'est fait comme il convient.

Je ne crois pas qu'on lui cause du tort. Nous ne faisons rien, si c'est ce que vous sous-entendez.

Non. Je ne voulais pas dire ça.

N'empêche, nous ne faisons rien. Nous n'avons jamais rien fait.

Il vaudrait mieux vous y mettre. Et éviter de vieillir comme moi.

Louis et Jamie descendirent des gradins, jetèrent leurs gobelets à la poubelle et retournèrent à la voiture.

Addie reprit place à l'arrière et ils regagnèrent Cedar Street. Louis aida Ruth à gravir son perron puis il rentra chez lui, et plus tard il alla chez Addie. Jamie dormait déjà au milieu du grand lit.

Merci pour cette soirée, dit Addie.

Tu savais qu'il n'avait jamais joué au softball ?

Non. Mais son père n'était pas un grand athlète.

Je trouve que tous les gamins devraient essayer au moins une fois.

Je suis fatiguée, dit-elle. Je vais me coucher. Tu pourras me parler de ça au lit, dans le noir. Je suis épuisée. Trop d'émotions fortes pour un soir.

20.

Le lendemain Louis emmena Jamie à la vieille quincaillerie de la grand-rue et lui acheta un gant en cuir. Il en acheta aussi un pour lui et un autre pour Addie, sans oublier trois balles en caoutchouc et une petite batte. Au comptoir il demanda à Jamie quelle casquette il voulait parmi celles sur le présentoir et le gamin en choisit une violet et noir. Le petit homme voûté à la caisse lui ajusta la courroie derrière puis le gamin s'enfonça la casquette sur la tête avant de lever le regard vers eux avec une expression sérieuse sur le visage.

Elle me paraît bien, dit Louis.

Cette casquette t'évitera de te cramer la caboche sous ce soleil, dit le petit homme. Il s'appelait Rudy, Louis le connaissait depuis une éternité. C'était incroyable qu'il continue à travailler, incroyable qu'il soit toujours en vie. L'autre gérant, un grand gaillard prénommé Bob, était mort il y a des années. Quant à la propriétaire de la boutique, elle était repartie pour Denver après la mort de sa mère.

Ils retournèrent chez Louis et Louis montra à Jamie comment bien orienter son gant pour attraper la balle, et ils firent des lancers à l'ombre, entre la maison d'Addie et celle de Ruth. Le gamin ne s'avéra pas très doué au début mais au bout d'un moment il s'améliora un peu et bientôt il voulut essayer de manier la batte. Il finit par frapper une balle et Louis le couvrit de compliments. Ils continuèrent à frapper puis recommencèrent des lancers et désormais le gamin progressait.

Addie sortit de sa maison et les observa. Vous pouvez arrêter ? Le déjeuner est prêt. Qu'est-ce que vous avez là ? Un gant de softball ?

Et j'ai eu cette nouvelle casquette.

Je vois ça. Tu as dit merci à Louis ?

Non.

Tu ferais mieux, non ?

Merci, Louis.

De rien.

On a pris un gant pour toi aussi, dit Jamie.

Mais je ne sais pas jouer.

Faut que tu apprennes, grand-mère. J'ai bien appris, moi.

Ce soir-là au lit, une fois Jamie endormi entre eux, Louis déclara : Ce gamin a besoin d'un chien.

Qu'est-ce qui te fait dire ça ?

Il lui faut autre chose pour s'amuser que son téléphone et un vieux bonhomme et une vieille bonne femme qui ne tiennent plus sur leurs quilles.

Tu es bien aimable, dit Addie.

Non, je suis sérieux, je t'assure, il lui faut un chien. Et si on allait à Phillips demain jeter un coup d'œil au refuge ?

Je ne veux pas de chiot dans ma maison. Je n'ai pas l'énergie pour un chiot.

Non, un chien adulte. Un qui soit déjà propre. Un gentil petit chien qui ait un peu de bouteille.

Je ne sais pas. Je ne suis pas sûre de vouloir m'embêter avec ça.

Je le garderai chez moi. Jamie pourra venir et ils pourront jouer tous les deux.

Tu veux vraiment avoir un chien dans les jambes ? Tu me surprends.

Ça ne me gêne pas. Il y a trop longtemps que je n'ai pas eu de chien.

C'est à toi de décider, je suppose. Je dois avouer que je n'y aurais pas pensé.

Après le petit déjeuner ils prirent au nord de Holt l'étroite nationale bitumée qui longeait les champs de maïs irrigués et les champs de blé dépourvus d'arrosage, tournèrent à l'ouest à Red Willow, passèrent devant l'école de campagne dans le comté suivant puis prirent à nouveau au nord vers la vallée de la Platte River et la ville de Phillips. Le refuge de la Société protectrice des animaux se trouvait aux abords de la ville. Ils dirent à la femme de l'accueil qu'ils désiraient un chien adulte.

Ma foi, c'est de ceux-là qu'on a le plus. Vous aviez quelque chose de précis en tête ?

Non. Juste un chien qui ne soit pas tout fou et qui ne jappe pas et n'aboie pas à longueur de journée.

Vous voulez un compagnon de jeu pour ce petit garçon. Bon, allons voir ce que nous avons.

Elle se leva lourdement et leur fit traverser le bureau. Dès qu'elle ouvrit la porte du fond les chiens dans les cages et les enclos se mirent à faire un tel raffut qu'il était presque impossible de s'entendre. Ils entrèrent et la femme ferma la porte derrière eux. Des cages s'alignaient des deux côtés de l'allée centrale, avec un ou deux chiens dans chacune. Cela sentait mauvais, le sol des cages était en ciment, avec des écuelles d'eau et des bouts de moquette et autres petits tapis pour que les chiens s'y couchent.

Je vais vous laisser les regarder par vous-mêmes. Si vous voulez en essayer un, prévenez-moi.

On peut en emmener dehors ?

Oui, mais il vous faudra une laisse. Il y en a une accrochée à la porte, là.

Elle s'en alla et ils repassèrent devant tous les enclos en regardant chacun des chiens à l'intérieur. Il y en avait de tous les types et de toutes les couleurs. Effrayé par les puissants aboiements, le gamin se collait à Louis dans l'allée. Ils firent demi-tour et examinèrent à nouveau tous les chiens.

Tu en as vu qui te plaisent ?

Je sais pas.

Et celle-là ? dit Addie. C'était un bâtard de border collie noir et blanc qui avait quelque chose à la patte avant droite, une sorte de bandage ou de tube en plastique. Elle a l'air gentille, dit Addie.

Qu'est-ce qu'elle a à la patte ? demanda Jamie.

Je ne sais pas. On peut demander. On dirait quelque chose pour la protéger.

Louis enfila ses doigts dans les mailles du grillage et la chienne les renifla avant de les lécher. Emmenons-la faire un tour. Il ouvrit la cage et y entra, puis attacha la laisse à son collier en empêchant l'autre chien de sortir. Il l'entraîna facilement, sans qu'elle renâcle, et la petite troupe retourna dans le bureau.

Vous en avez trouvé un, dit la femme.

Peut-être, dit Louis. Nous voudrions l'emmener dehors pour voir comment elle se comporte quand elle n'est pas avec les autres.

Faut juste que vous restiez dans les limites du parking.

Ils sortirent et, contournant les voitures garées, ils rejoignirent les herbes folles et la terre en bordure du parking. La chienne s'accroupit aussitôt. Bon chien, dit Louis. Elle a attendu qu'on soit dehors et qu'on atteigne la lisière en terre. Tu veux tenir sa laisse, Jamie ?

On va d'abord la caresser, dit Addie.

Ils se penchèrent tous vers la chienne, qui s'assit sur son arrière-train. Le petit garçon lui tapota la tête et elle leva les yeux vers lui.

Tu veux essayer maintenant ? Je serai juste à côté de toi.

Tu crois qu'elle va bien ? Et sa patte ?

Nous demanderons à la dame à l'intérieur. Elle boite un peu quand elle marche mais elle n'a pas l'air d'avoir trop mal.

Jamie attrapa la laisse et la chienne se leva et se mit à marcher auprès de lui. Louis, le garçon et la chienne décrivirent un cercle autour des voitures sur le parking en dur. Louis demanda : Tu veux essayer tout seul ? Le garçon et l'animal dessinèrent un autre petit cercle. Il était évident que le gamin l'aimait bien. Ils retournèrent à l'intérieur. La chienne entra en boitant, épargnant sa patte droite. La femme leur expliqua qu'elle avait eu le pied gelé pendant l'hiver parce que quelqu'un l'avait laissée attachée dehors toute la nuit sur le patio en béton derrière le bâtiment. Le vétérinaire avait été obligé d'amputer les orteils de cette patte-là. Elle portait désormais un tube en plastique blanc fixé par du Velcro. Si elle restait à l'intérieur, on pouvait le lui retirer dans la journée : il suffisait qu'on le lui remette quand elle sortait. La femme leur montra comment retirer le tube et comment le remettre.

Elle a quel âge ? demanda Louis.

Dans les cinq ans, je dirais.

Je crois que nous allons la prendre à l'essai, dit Louis. Si ça ne marche pas, nous la ramènerons.

Enfin bon, nous tenons à ce que les gens prennent leur temps, qu'ils ne renoncent pas trop vite.

Nous n'y manquerons pas. Mais je veux savoir si nous pouvons revenir si nécessaire.

Oui, vous pouvez.

Louis paya le prix demandé et récupéra les papiers de l'animal, dont son carnet de vaccination, et ils se rendirent à la voiture. Jamie monta à l'arrière et Louis installa la chienne sur la banquette à côté de lui, puis ils quittèrent la ville par la nationale pour rentrer à Holt. Au bout d'un moment la chienne posa sa tête sur les genoux du garçon puis ferma les yeux, et le garçon la caressa. Addie fit un signe du menton à Louis pour qu'il regarde derrière, et il régla le rétroviseur. Ils dormaient tous les deux à présent. À Holt, Louis déposa Addie devant sa maison et, chez lui, il aida Jamie à préparer un lit pour la chienne dans la cuisine. Tu veux lui faire visiter les lieux ? demanda-t-il.

J'ai jamais vu les autres pièces non plus, lui dit Jamie.

Tu as raison. Il leur fit faire à tous les deux le tour du rez-de-chaussée et, arrivée au bas des marches, la chienne les précéda dans l'escalier en sautillant, tenant en l'air sa patte handicapée. Puis ils redescendirent dans la cuisine. Allons voir si ta grand-mère nous a prévu un déjeuner.

Et notre chienne ?

Je crois qu'on ferait mieux de l'emmener avec nous. Elle est nouvelle ici. Pas question de la laisser toute seule pour l'instant.

Le garçon prit la laisse et ils traversèrent la rue puis empruntèrent la ruelle pour aller chez Addie. Ils frappèrent avant d'entrer.

Dans la cuisine Addie demanda : Vous vous êtes décidés pour un nom ? Il lui faut un nom. La dame du refuge ne lui en avait pas donné un ?

Tippy, dit Louis. Mais ça me plaît pas beaucoup.

Et Bonny ? demanda le garçon.

D'où tu sors ce nom ?

Une fille dans ma classe.

Quelqu'un que tu aimes bien ?

Assez.

Parfait. Va pour Bonny.

Je trouve que ça lui va bien, dit Addie.

Jamie et Louis laissèrent la chienne sur son tapis dans la cuisine de Louis et allèrent dîner chez Addie. Après le dîner ils allèrent tous vérifier ce qu'elle faisait et elle était en train de geindre et de pleurer. Ils l'entendirent de loin.

Pourquoi ne pas l'amener chez moi pour l'instant? dit Addie. Je ne crois pas que Ruth et les autres voisins aient besoin de ça.

Et après?

Après il faudra voir.

Ils ramenèrent la chienne chez Addie. Addie lui donna un vieux plaid pour qu'elle se couche dessus et elle s'y installa puis les observa, son regard naviguant de l'un à l'autre. Le garçon monta à l'étage jouer avec son téléphone et il emmena la chienne avec lui. Quand Addie et Louis montèrent à leur tour, ils lui dirent que la chienne allait devoir rester dans la cuisine. Mais une fois en bas l'animal se remit à pleurer, tant et si bien qu'Addie lâcha : Allez, vas-y. J'ai deviné ce que tu veux.

Louis répondit : Enfin voyons, on ne va quand même pas endurer ça toute la nuit, si?

J'ai dit vas-y.

Il amena la chienne dans la chambre de devant. Jamie se pencha au bord de son lit pour la regarder, tendit le bras et la caressa.

J'ai une autre idée, dit Louis. Et si Bonnie et toi vous alliez dans ta chambre? Tu peux la garder avec toi.

Je sais pas.

Elle sera avec toi dans ta chambre. Tu ne seras pas tout seul.

Dès que le garçon se coucha, la chienne sauta aussitôt sur le lit.

Elle peut?

On va essayer. À moins que ta grand-mère dise que non.

Mais laisse quand même la lumière.

D'accord.

Et la porte ouverte ?

Maintenant vois si tu arrives à dormir. Bonnie sera ici avec toi.

Louis alla retrouver Addie dans le lit et se glissa sous les draps.

Avoue, dit-elle.

Quoi ?

Tu avais ça en tête depuis le début, pas vrai ?

J'aimerais être aussi malin que ça. Au moins maintenant on peut s'étirer sans que nos jambes s'emmêlent dans les pieds d'un petit garçon.

Addie éteignit la lumière. Où est ta main ?

Juste là près de toi où elle est toujours.

Elle lui prit la main. Maintenant on peut parler à nouveau, dit-elle.

De quoi veux-tu parler ?

Je veux savoir ce que tu penses.

À propos de quoi ?

Du fait d'être dans cette maison. L'effet que ça te fait. De rester ici la nuit.

J'arrive à supporter, dit-il. Ça me paraît normal, maintenant.

Seulement normal ?

Je te taquine.

Je le sais bien. Dis-moi la vérité.

La vérité c'est que ça me plaît. Ça me plaît beaucoup. Ça me manquerait si ça n'existait pas. Et toi ?

J'adore. C'est mieux que ce que j'espérais. C'est une sorte de mystère. J'aime l'amitié que ça implique. J'aime ces moments ensemble. Être ici au cœur de la nuit. Discuter. T'entendre respirer à côté de moi si je me réveille.

J'aime tout ça moi aussi.

Alors parle-moi, dit-elle.

Quelque chose en particulier ?

Quelque chose qui ait trait à toi.

Tu n'en as pas marre de mes histoires ?

Pas encore. Je te préviendrai s'il y a lieu.

Laisse-moi réfléchir une minute. Tu sais que cette chienne est sur le lit avec lui.

Je m'y attendais.

Elle va salir ta literie.

Ça se lave. Maintenant parle-moi. Raconte-moi quelque chose que tu ne m'aies pas encore dit.

21.

Je voulais être poète. Je ne crois pas que quelqu'un à part Diane l'ait jamais su. J'étudiais la littérature à la fac et en même temps je passais mon diplôme d'enseignant. Mais j'étais fou de poésie. Tous les poètes classiques qu'on lisait à l'époque. T. S. Eliot. Dylan Thomas. e.e. cummings. Robert Frost. Walt Whitman. Emily Dickinson. Certains poèmes de Housman, Matthew Arnold et John Donne. Les *Sonnets* de Shakespeare. Browning. Tennyson. J'en avais appris certains par cœur.

Tu t'en souviens encore ?

Il cita les premiers vers de « La chanson d'amour de J. Alfred Prufrock ». Quelques vers de « La colline de fougères » et d'autres de « Et la mort n'aura pas d'empire ».

Que s'est-il passé ?

Tu veux dire pourquoi je n'ai pas continué ?

Ça semble toujours t'intéresser.

C'est vrai. Mais pas comme avant. J'ai commencé à enseigner et Holly est arrivée et je ne savais plus où donner de la tête. Je bossais l'été, à peindre des maisons. On avait besoin de l'argent. Du moins je le pensais.

Je te revois peindre des maisons... Avec quelques autres profs.

Diane ne voulait pas travailler et moi aussi je trouvais important pour Holly qu'elle ait quelqu'un à la maison avec elle. Alors j'écrivais un peu le soir et peut-être un peu le week-end. Quelques-uns de mes poèmes ont été acceptés par des revues et des trimestriels, mais la plupart des écrits que j'envoyais étaient refusés, et m'étaient retournés sans même un mot. Si par hasard je recevais un message d'un rédacteur en chef, un petit conseil ou un commentaire, je prenais ça comme un encouragement et j'en faisais mes choux gras pendant des mois. Rien d'étonnant, quand j'y repense. Ces poèmes étaient d'affreuses petites choses. Des imitations. Des machins alambiqués. Je me souviens que dans l'un d'eux il y avait un vers avec l'expression « bleu iris », qui peut passer, mais il avait fallu que je la coupe en deux pour faire bleui-ris.

Ça veut dire quoi ?

On ne sait pas. Et d'ailleurs on s'en moque. J'avais montré ce poème-là, qui datait des premiers temps, à un de mes profs à la fac. Il l'avait regardé puis il m'avait regardé un moment et dit : Eh bien, c'est intéressant. Continuez à travailler. Bah, c'étaient des trucs pitoyables, en réalité.

Mais tu aurais pu faire des progrès si tu t'étais accroché.

Peut-être. Mais ça n'a pas marché. Je n'avais pas ça en moi, c'est tout. Et ça ne plaisait pas à Diane.

Pourquoi ?

Je n'en sais rien. Peut-être que c'était comme une menace pour elle. Je pense qu'elle était jalouse de ce que ça représentait pour moi et aussi du temps que je passais dans mon coin, isolé et tranquille.

Elle ne te soutenait pas dans ce projet.

Elle n'avait pas de projet personnel de son côté. À part s'occuper de Holly. Et plus tard elle a été confirmée dans ses sentiments et ses opinions par le groupe de femmes qu'elle fréquentait, comme je t'ai raconté.

N'empêche, ce serait bien que tu t'y remettes.

Je crois que j'ai loupé le coche. Et puis je t'ai maintenant. Notre aventure me redonne une sorte de feu sacré, tu sais. Mais et toi? Tu ne m'as jamais dit ce que tu voulais faire.

Je voulais être professeur. J'avais commencé un cursus à la fac à Lincoln mais je suis tombée enceinte de Connie et j'ai laissé tomber. Plus tard j'ai suivi un stage de comptabilité pour pouvoir aider Carl, et comme je t'ai dit, je suis devenue sa réceptionniste à temps partiel et je tenais les comptes du cabinet. Quand Gene a commencé l'école j'ai pris un emploi de bureau à la municipalité, comme tu sais, et j'y suis restée très longtemps. Trop longtemps.

Pourquoi n'as-tu jamais repris l'enseignement?

Je pense qu'au fond je n'ai jamais vraiment eu la vocation. C'était ce que faisaient les femmes, voilà tout. Elles devenaient enseignantes ou infirmières. Tout le monde n'a pas la chance de savoir ce qu'il veut faire, comme toi.

Mais je ne suis pas allé au bout non plus. Je faisais seulement semblant.

Pourtant ça te plaisait d'enseigner la littérature au lycée.

Oui, ça me plaisait bien. Mais ce n'était pas pareil. Je me bornais à enseigner la poésie quelques semaines par an, je n'en écrivais pas. Les mômes, au fond, s'en fichaient complètement. Quelques-uns s'y intéressaient. Mais pour la plupart, non. Quand ils repensent à ces années-là et à ces heures de cours, ils revoient sans doute ce vieux Waters en train de radoter. De palabrer sur un type qui a écrit il y a cent ans quelques vers sur un jeune athlète mort qu'on transporte à travers la ville dans un fauteuil, truc qui ne leur évoquait rien, auquel ils ne pouvaient pas s'identifier. Je leur faisais apprendre par cœur un poème. Les gamins choisissaient le poème le plus court possible. Quand ils se levaient pour réciter ils étaient pétrifiés, d'une nervosité épouvantable. J'avais presque pitié d'eux.

Voilà un môme qui a passé ses quinze premières années à apprendre à conduire un tracteur et à graisser une machine agricole et soudain, arbitrairement, un prof lui fait déclamer un poème devant d'autres garçons et filles qui eux aussi ont fait pousser du blé, conduit des tracteurs et nourri des cochons, et pour être reçu et échapper au cours d'anglais il doit réciter «Loveliest of trees, the cherry now» de Housman et bel et bien prononcer le mot *loveliest* à haute voix. Tu imagines un jeune paysan dire «le plus exquis des arbres» !

Elle rit. Mais c'était bénéfique pour eux.

Je le pensais. Je doute qu'ils aient été de cet avis. Je doute qu'ils soient de cet avis même aujourd'hui, avec le recul, sinon pour ressentir comme une fierté collective d'avoir suivi le cours du vieux Waters et de s'en être tirés, en se disant que c'était une sorte de rite de passage.

Tu es trop dur avec toi-même.

Remarque, c'est vrai, j'ai au moins eu une élève de la campagne très brillante qui avait appris «Prufrock» de bout en bout à la perfection. Elle n'y était pas obligée. C'était de son propre chef, de sa propre volonté et de sa propre initiative. J'avais simplement demandé à la classe d'apprendre par cœur quelque chose de court. J'ai eu pour de bon les larmes aux yeux quand elle a récité ce long poème tellement bien. Et elle semblait avoir compris ce qu'il racontait, en plus.

À l'extérieur de la chambre obscure le vent se leva brusquement et s'engouffra avec force par la fenêtre ouverte, faisant claquer les rideaux. Puis il se mit à pleuvoir.

Je ferais mieux de fermer la fenêtre.

Pas complètement. Sens-moi cette odeur exquise. La plus exquise des odeurs...

Eh oui.

Il se leva pour aller fermer partiellement la fenêtre, puis revint se coucher.

Allongés l'un à côté de l'autre, ils écoutaient la pluie.

On dirait que, comme pour moi, la vie n'a pas très bien tourné pour toi, en tout cas pas comme on l'espérait, dit-il.

Sauf qu'elle me paraît douce aujourd'hui, en cet instant.

Plus douce que je ne mérite, en tout état de cause.

Oh mais si, tu mérites d'être heureux. Tu ne le crois pas?

Ce que je crois, c'est que la vie m'a réussi ces deux, trois derniers mois. Quelle que soit la raison.

Tu es toujours sceptique sur la durée de notre histoire.

Tout change. Il quitta à nouveau le lit.

Où est-ce que tu vas encore ?

Vérifier comment ils vont. Ils auront peut-être eu peur du vent et de la pluie.

C'est toi qui risques de leur faire peur en y allant.

Je ne ferai pas de bruit.

Reviens vite.

Le gamin dormait. La chienne leva la tête de l'oreiller, regarda Louis puis se recoucha.

Dans la chambre d'Addie, Louis tendit la main par la fenêtre entrouverte pour recueillir la pluie qui gouttait de l'avant-toit puis, regagnant le lit, il passa sa main mouillée sur la joue veloutée d'Addie.

22.

Quand ils retournèrent voir ce qui se passait dans la remise derrière la maison de Louis, les souris avaient grandi. Elles avaient maintenant un pelage foncé et leurs yeux étaient ouverts. Elles s'agitèrent dans tous les sens lorsque Louis souleva le couvercle. La mère n'était pas là. Ils regardèrent les petites souris aux yeux noirs étincelants ramper les unes sur les autres, renifler et partir se cacher. Elles sont sur le point de quitter le nid, dit Louis.

Qu'est-ce qu'elles vont faire ?

Elles feront ce que leur mère leur montrera. Elles sortiront, chercheront à manger, bâtiront des nids, se lieront à d'autres souris et auront des bébés.

On les reverra plus ?

Sans doute que non. On les verra peut-être dans le jardin ou autour du garage, et le long des murs au pied de la cabane. Il faudra qu'on guette.

Pourquoi est-ce que la mère s'est enfuie ? Elle a laissé les bébés tout seuls.

Elle a peur de nous. Elle a plus peur de nous que de laisser ses enfants.

Mais on leur fera pas de mal, dis ?

Non. Je ne veux pas de souris dans la maison mais dehors elles ne me dérangent pas. À moins qu'elles se mettent sous le capot de la voiture et qu'elles grignotent les câbles.

Comment elles peuvent faire ça ?

Les souris, ça peut se faufiler quasiment n'importe où.

23.

Vous n'avez pas besoin de faire ça, dit Addie.

Si, dit Ruth. Je veux vous remercier de votre gentillesse. De m'avoir sortie.

Qu'est-ce que je peux apporter, alors?

Seulement vous. Et Louis et Jamie.

L'après-midi ils frappèrent à la porte de derrière de la vieille maison de Ruth et elle apparut sur le porche en pantoufles, robe d'intérieur et tablier, son visage émacié tout rouge de s'être activée aux fourneaux. Elle les invita à entrer. Bonny geignait au bas du perron. Oh, qu'elle entre aussi. Elle ne nous embêtera pas. La chienne grimpa tant bien que mal et déboula dans la maison. Ils suivirent le mouvement jusqu'à la cuisine, où la table était déjà mise. Il faisait très chaud à cause du four. Je comptais nous faire dîner ici. Mais c'est une véritable étuve maintenant.

Louis se tenait dans l'encadrement de la porte. Vous voulez qu'on s'installe dans la salle à manger?

Ça va être tout un binz.

On va simplement déménager les affaires. Et si j'ouvrais un peu ces fenêtres?

Euh, je doute qu'elles daignent s'ouvrir. Vous pouvez essayer.

Il s'attaqua aux bow-windows avec un tournevis et parvint à en ouvrir deux.

Ah. Vous y êtes arrivé. Les hommes sont parfois bons à quelque chose, faut bien l'avouer.

Et comment, acquiesça Louis.

Au dîner il y avait des macaronis cuits au gratin avec de la laitue iceberg à la sauce Thousand Island et des haricots verts en boîte, ainsi que des tartines et du thé glacé servi dans une vieille carafe en verre. Et puis une tranche napolitaine en dessert. La chienne était couchée aux pieds de Jamie.

Après le dîner Ruth entraîna Jamie dans le salon pour lui montrer les photos aux murs et sur le secrétaire, pendant qu'Addie et Louis débarrassaient et faisaient la vaisselle.

Regarde, dit-elle. Elle a été prise où, d'après toi?

Je sais pas.

C'est Holt. Voilà à quoi ressemblait la ville dans les années 1920. Il y a quatre-vingt-dix ans.

Le garçonnet leva le regard vers le vieux visage ridé de Ruth puis examina la photo.

Oh, je n'étais pas encore née à l'époque. Je ne suis pas si vieille. C'est ma mère qui m'a raconté. Les arbres dans Main Street. Tout le long de la rue. Une petite ville à l'ancienne, bien ordonnée et bien paisible. Ravissante. Agréable de s'y promener et d'y faire ses courses. Puis l'électricité est arrivée. Avec des poteaux et des lampadaires dans la grand-rue. Et puis une nuit ils ont coupé tous les arbres alors que les habitants étaient couchés. Le lendemain matin les gens ont vu ce qu'ils avaient fait. La mairie a prétendu que les arbres cachaient la lumière des réverbères. Les gens étaient furieux, vraiment furibards. Ma mère était encore folle de rage des années après. C'est elle qui m'avait raconté cet épisode et qui avait gardé cette vieille photo. Les hommes, elle disait toujours. Elle n'a jamais pardonné à mon père. Il était au conseil municipal.

Attendez, fit Louis. Je croyais que vous aviez dit qu'on était parfois bons à quelque chose.

Non. Vous êtes encore en période d'essai. Mais ce garçon-là sera sûrement différent. Je fonde de grands espoirs en lui. Elle prit le visage de Jamie dans ses mains. Tu es un brave gamin. Surtout, ne l'oublie pas. Surtout, ne laisse personne te faire croire le contraire. Promis ?

Oui.

Très bien. Elle le lâcha.

Merci pour le dîner, dit-il.

Mais, mon chou, c'était avec un immense plaisir.

Là-dessus ils prirent congé. Addie, Louis, Jamie et la chienne sortirent dans la fraîche pénombre estivale. C'est une nuit magnifique, lança Addie à Ruth.

Oui, répondit la vieille dame. Oui. Bonne nuit.

24.

Un matin alors qu'il faisait encore frais ils emmenèrent Bonny dans la campagne afin de la faire courir. Ils mirent le tube protecteur sur sa patte et roulèrent vers l'ouest de la ville jusqu'à une route de gravier rectiligne. Dans le fossé poussaient des tournesols, de petits barbons de Gérard et des yuccas. Jamie fit descendre la chienne de la banquette arrière et lui retira sa laisse. Elle le regarda, pleine d'attente.

Vas-y, dit Louis. Tu peux courir maintenant. Allez, file. Il tapa dans ses mains.

La chienne fit un bond et se mit à courir sur la route puis à zigzaguer entre les deux fossés, sa patte protégée produisant un bruit sourd sur le revêtement. Le garçon s'élança à ses trousses. Addie et Louis les suivirent, marchant lentement, les observant. Aucune voiture ne surgit sur la route durant leur promenade.

C'était une bonne idée, dit Addie, de prendre ce chien.

Il a l'air plus heureux, c'est vrai.

Oui, et il s'est adapté au fait d'être ici avec nous. Espérons que ça ira bien aussi une fois rentré chez lui.

La chienne et le garçon revinrent en courant. Le gamin était rouge et essoufflé.

Elle arrive à bien courir même avec sa patte abîmée. Vous avez vu ?

La chienne regarda le garçon et ils détalèrent à nouveau. Il commençait à faire chaud. Mi-juillet. Le ciel sans nuages, les blés le long de la route d'ores et déjà coupés, le chaume bien régulier et parfaitement taillé, le maïs, plus loin, s'étirant en rangées vert foncé. Une belle et torride journée d'été.

25.

Fin juillet Ruth alla à la banque dans Main Street avec une autre vieille dame qui avait encore le droit de conduire. Debout au guichet, elle récupéra l'argent qu'elle retirait de son compte épargne, rangea les billets dans son sac, tira la fermeture Éclair du compartiment intérieur puis se retourna pour partir. Elle n'avait pas complètement pivoté vers la porte qu'elle s'effondra et mourut. Elle s'écroula comme une pauvre masse frêle sur le carrelage de la banque et cessa de respirer. Il fut dit ensuite qu'elle avait sûrement déjà cessé de respirer avant d'atteindre le sol. L'autre femme plaqua sa main sur sa bouche et se mit à pleurer. On appela l'ambulance mais il n'y avait plus rien à faire. Ils ne prirent pas la peine de l'emmener à l'hôpital. Le coroner vint certifier le décès et ils emmenèrent la vieille dame au salon funéraire de la ville, situé dans Birch Street. Son corps fut incinéré et il y eut une petite cérémonie à l'église presbytérienne deux jours après. Rares étaient ses amis encore vivants. De vieilles dames, quelques vieux messieurs entrèrent dans l'église en clopinant et s'assirent sur les bancs. Certains s'assoupirent, le menton appuyé sur leur maigre poitrine, puis se réveillèrent quand l'hymne commença.

Addie et Louis s'installèrent devant. Addie avait organisé les obsèques et parlé de Ruth au pasteur. Il ne la connaissait pas du tout. Elle ne fréquentait plus aucune église en raison de ses sentiments sur l'orthodoxie, et parce qu'elle jugeait puéril le discours sur Dieu des différentes doctrines.

Après le service funèbre, les gens regagnèrent tous leurs logis silencieux et Addie rapporta chez elle l'urne émaillée qui renfermait les cendres. En l'occurrence, la vieille dame n'avait aucune famille immédiate, à part une nièce éloignée qui habitait le Dakota du Sud et qui devint son héritière. La nièce vint à Holt la semaine suivante afin de voir le notaire et l'agent immobilier, et la maison dans laquelle Ruth avait vécu durant des décennies fut vendue en un mois à un retraité et sa femme originaires d'un autre État. La nièce ne voulut pas de l'urne. Et vous, vous la voulez ? demanda-t-elle.

Addie l'accepta et à deux heures du matin elle et Louis dispersèrent les cendres de Ruth dans le jardin derrière la maison de la vieille dame.

À présent ce n'était plus la même chose que quand Ruth habitait là et qu'ils pouvaient tous aller ensemble le soir au Holt Café puis à un match de softball. Ils jugèrent qu'il n'était pas utile de raconter tout cela à Jamie. Ils lui dirent qu'elle était partie vivre ailleurs. Ils décidèrent que ce n'était pas totalement un mensonge.

C'était quelqu'un de bien, dit Louis. Je l'admirais.

Elle me manque déjà, dit Addie. Qu'est-ce qu'il va advenir de nous... de toi et moi ?

26.

Après la mort de Connie Carl n'était plus lui-même, dit Addie. Il semblait aller bien extérieurement quand il était avec d'autres en dehors de la maison ou à son bureau, mais cette disparition l'avait changé. Il adorait notre fille. Plus que moi. Plus que Gene. Il a prêté moins d'attention à Gene ensuite, et quand il le faisait c'était souvent de manière critique, pour le reprendre. Bien des fois je lui ai parlé de son attitude et il répondait qu'il allait tâcher de se corriger. Mais ça n'a plus jamais été pareil et ça a affecté Gene. Je le sais bien. J'ai essayé de compenser mais ça n'a pas marché non plus.

Et entre toi et lui ? Les choses ont dû changer aussi.

Nous n'avons pas fait l'amour pendant un an après la mort de Connie. Ça ne l'intéressait plus. Puis, quand ça l'a à nouveau intéressé, ce n'était pas très satisfaisant. C'était plus un acte uniquement physique qu'un acte où entraient de la tendresse et de l'émotion. Au bout d'un an environ, on a complètement arrêté.

C'était quand ?

Dix ans avant sa mort.

Ça te manquait ?

Bien sûr. L'intimité, surtout, me manquait. Nous n'étions plus du tout proches. Nous étions cordiaux et comme qui dirait polis et aimables pour la forme, mais ça s'arrêtait là.

J'ignorais complètement. Je n'avais pas remarqué.

Non, comment aurais-tu pu ? En public nous étions gentils, affectueux même. Et puis on ne se voyait pas beaucoup même si on était voisins. Mais personne n'était au courant, en réalité. Je n'en ai pas parlé et je suis sûre que Carl non plus. Gene savait mais il avait peut-être fini par croire que c'était comme ça, que la vie était ainsi faite. Que les gens mariés se comportaient ensemble de cette manière-là.

Ça me paraît affreusement triste.

Ah ça oui, c'était dur. J'ai essayé de discuter mais il refusait. J'ai essayé de venir au lit toute nue. De mettre du parfum. J'avais même commandé des nuisettes affriolantes dans un catalogue. Il a trouvé ça dégoûtant. Il est devenu brutal, presque sadique, quand par hasard on faisait l'amour. Ce n'était pas de l'amour du tout, bien sûr. Après, je ne m'en sentais que plus mal. J'ai renoncé à tenter d'arranger les choses et nous nous sommes installés dans notre longue routine paisible et courtoise. J'emmenais Gene à Denver voir des concerts et des pièces de théâtre, j'essayais de lui offrir autre chose que cette maison et ses secrets, de le sortir de Holt, de lui montrer un monde plus vaste. Je ne peux pas prétendre que la manœuvre ait trop réussi non plus. Gene est resté fermé comme son père. Il l'est même devenu davantage au lycée, puis il est parti pour la fac et nous l'avons vu encore moins qu'avant. Du coup j'ai commencé à aller de mon côté à des pièces ou des concerts à Denver. Je m'accordais des petits plaisirs. J'estimais que je les méritais. Je prenais une chambre au Brown Palace Hotel et je sortais dîner seule dans des restaurants de luxe. J'ai acheté quelques robes que je ne portais qu'à Denver. Je ne voulais pas me montrer à Holt dans ces tenues-là. Je ne voulais pas que les gens sachent. J'imagine que les gens se doutaient de quelque chose malgré tout. Ta femme, probablement.

Si oui, elle ne m'en a jamais rien dit.

C'est ce qui m'a toujours plu chez Diane. Ça se sentait, elle n'était pas du genre à aller cancaner ou médire.

N'empêche, vous avez dormi ensemble toutes ces années. Vous ne faisiez pas lit à part.

Je suppose que ça paraît bizarre. Mais d'une certaine façon c'était le seul petit lien qui nous unissait encore. Nous ne nous touchions jamais. On apprend à rester strictement de son côté du lit et à ne pas s'effleurer même par accident la nuit. On s'occupe de l'autre quand il est malade et dans la journée chacun fait ce qu'il considère comme son boulot. Carl m'apportait des fleurs pour se dédouaner et les gens en ville se disaient : Comme il est prévenant. Mais tout du long il y avait ce silence secret entre nous.

Et puis il est mort, dit Louis.

Oui. J'ai pris soin de lui jusqu'au bout. Je tenais à le faire. J'en avais besoin. Il avait été malade à plusieurs reprises avant de mourir ce fameux dimanche matin à l'église. Alors oui, j'ai pris soin de lui. Je ne sais pas ce que j'aurais pu faire d'autre. Nous avions eu cette longue existence conjointe, même si elle n'avait été bonne ni pour l'un ni pour l'autre. Voilà quelle a été notre histoire.

27.

En milieu de semaine ils chargèrent le pick-up de Louis et prirent à l'ouest à travers les plaines en direction des montagnes, les regardant s'élever de plus en plus haut au fur et à mesure qu'ils se rapprochaient du Front Range, discernant d'abord leurs contreforts plantés de forêts foncées puis, plus loin derrière, leurs cimes blanches au-dessus de la limite des arbres qui, même en juillet, étaient encore tachés de neige. Ils rejoignirent l'US 50, traversant les rares villes qui la jalonnaient et s'arrêtant dans l'une d'elles pour avaler des hamburgers. Puis ils continuèrent par le canyon de l'Arkansas River, avec ses rapides magnifiques et, de chaque côté, ses falaises rouges, abruptes et découpées. Le long de la route, ils aperçurent des mouflons, uniquement des femelles aux petites cornes pointues. Au bout d'un moment ils obliquèrent en direction du camp de North Fork sur la route de comté 240 et pénétrèrent dans la forêt nationale. Il n'y avait pas grand monde au camping. Ils descendirent de voiture et entreprirent de décharger le pick-up dans une zone près du torrent. Ils l'entendaient qui mugissait. L'eau limpide et glaciale, avec ses truites mouchetées cachées dans les creux sous les rochers. Il y avait de grands sapins et d'immenses pins ponderosa mais aussi des trembles en bordure du torrent et à flanc de coteau. Les emplacements pour les tentes et les camping-cars étaient délimités par des troncs au sol, et des tables de pique-nique et des braseros circulaires étaient installés à proximité.

On ira faire un tour une fois que notre bivouac sera prêt, dit Louis.

Le garçon aida à monter la tente sur une portion de terrain que Louis jugea propice car bien horizontale et située pas trop près d'un brasero. Louis montra à Jamie comment disposer les mâts, tendre les haubans et ficher les piquets en terre, et comment replier les volets des fenêtres et le rabat de la porte. Ils mirent leurs matelas gonflables et leurs sacs de couchage à l'intérieur : Jamie et Bonny étaient censés dormir d'un côté, Addie et Louis de l'autre. Ouvrant la fermeture à glissière d'un des sacs de couchage, Addie l'étala pour Louis et elle, puis recommença l'opération avec un deuxième : elle le déploya par-dessus le premier pour leur faire un lit bien large et bien confortable. Elle en étala un troisième pour Jamie.

Une fois leur campement installé, ils rejoignirent le torrent et pataugèrent dans ses eaux glacées.

Elle est trop froide, grand-mère.

Elle descend tout droit des hauteurs neigeuses, trésor.

La nuit commençait à tomber et l'heure du dîner était passée depuis longtemps. Louis et le garçon allèrent chercher du bois dans le pick-up, car il n'était pas permis de couper des arbres ou des branches dans la forêt nationale. Jamie ramassa brindilles et

111

branchettes desséchées et ils confectionnèrent un petit feu à l'intérieur du cercle de pierres. Calant une grille dessus, Addie et le garçon mirent des hot-dogs et des haricots en boîte à réchauffer dans un poêlon en fonte, puis sortirent quelques carottes crues et des chips. Quand le plat fut bien chaud ils s'assirent à la table de pique-nique, dînèrent et contemplèrent le feu.

Tu veux aller rechercher du bois? demanda Louis.

Jamie et la chienne quittèrent la lueur du feu pour se rendre au pick-up et le garçon revint avec une brassée de bois.

Vas-y, rajoutes-en un peu, dit Louis.

Le garçon lâcha un bout de bois dans les flammes, bras tendu : ses yeux larmoyants clignaient dans la fumée. Puis il se rassit. L'air était frais et vif; une brise de montagne se levait. Ils ne parlaient pas mais regardaient le feu et les étoiles juste au-dessus des montagnes. Ils distinguaient le sommet dénudé du mont Shavano qui luisait au nord dans le ciel nocturne.

Puis Louis emmena Jamie le long du cours d'eau où il coupa trois pousses de saule qu'il affûta avant de regagner le feu de camp. Ta grand-mère a une surprise pour toi.

C'est quoi?

Addie sortit un sachet de marshmallows et en enfila un sur la pointe de chacune des baguettes.

Approche-le du feu. Laisse-le dorer et ramollir.

Jamie tendit sa brochette et le marshmallow s'enflamma aussitôt.

Souffle dessus.

Addie lui montra comment le faire dorer lentement en tournant la baguette. Ils en mangèrent deux ou trois chacun. Jamie eut bientôt la bouche et les mains

toutes poisseuses de guimauve fondue et toutes noir-
cies de croûte calcinée.

Quand ils eurent fini ils rangèrent la nourriture
dans la cabine du pick-up pour ne pas attirer les ours
pendant la nuit. Puis Louis emmena Jamie aux toilettes du camping et y entra avec lui muni d'une
torche électrique.

Fais ta petite affaire et ressors, dit Louis. Pas la
peine de s'attarder. Tu veux que je reste avec toi?

Ça sent mauvais ici.

Louis braqua la torche dans le grand trou noir de la
cuvette.

Vas-y. Je suis là, je ne m'en vais pas.

Louis se détourna. Le garçon baissa son pantalon
puis s'assit sur la lunette, la fosse au-dessous de lui.
Le trou lui faisait peur. Quand il eut terminé Louis
utilisa à son tour les toilettes, puis tous deux sortirent
retrouver la chienne qui les attendait. Ils s'emplirent
les poumons d'air pur. Ils allèrent se laver les mains
et la figure à la pompe puis regagnèrent la tente.

Ça sentait mauvais là-bas, grand-mère.

Je sais.

Elle aida Jamie à se glisser dans le sac de couchage, Bonnie couchée sur l'oreiller près de lui.

Vous serez où?

On dormira là, juste à côté de toi.

Toute la nuit?

Oui.

Le garçon s'endormit et Louis et Addie réinté-
grèrent la tente au bout d'une heure, se déshabillèrent,
s'allongèrent, se tinrent les mains et contemplèrent
les étoiles par la fenêtre à mailles. Flottait autour
d'eux une piquante odeur de conifères.

Si c'est pas le bonheur, dit Addie.

Le matin ils dégustèrent des pancakes et des œufs au bacon avant de ranger leur campement avec soin. Ils mirent les victuailles et les casseroles dans la glacière à l'arrière du pick-up et, reprenant la route 50, ils montèrent jusqu'à Monarch Pass. Ils s'arrêtèrent et sortirent de voiture au niveau de la ligne de partage des eaux. Là, ils scrutèrent le panorama depuis le versant occidental, et s'ils avaient eu d'assez bons yeux et été capables de voir par-dessus la courbure de la terre, ils auraient discerné l'océan Pacifique, mille cinq cents kilomètres au-delà des montagnes. À midi ils regagnèrent leur campement où ils mangèrent des sandwichs au fromage et des pommes et burent de l'eau froide qu'ils avaient pompée au puits à l'ancienne en actionnant son levier vert. Ils firent ensuite une randonnée en amont jusqu'aux chutes du torrent. Ils s'assirent pour regarder l'eau dégringoler dans le bassin d'un vert limpide en contrebas. Ils descendirent au pied des chutes : l'air était plus frais à proximité de la cascade et formait comme une brume autour de leurs visages.

Ils rentrèrent au camp et Addie et Louis, installant des chaises pliantes à l'ombre en bordure du torrent, se mirent à bouquiner. Le garçon et la chienne erraient sous les arbres alentour.

On peut aller se promener ? demanda Jamie.

Vous pouvez suivre le torrent, dit Louis. Dans quel sens il va, d'après toi ?

Il descend par là.

Pourquoi ça ?

Je ne sais pas.

Parce qu'il coule vers l'aval. L'eau va toujours en descendant. Par où as-tu envie d'aller ?

Par là.

Donc vers l'aval. Pour retourner au camp, tu ferais quoi ?

Demi-tour.

Bravo. En suivant le torrent vers l'amont tu rejoindras notre tente. Ta grand-mère et moi nous t'attendrons. Essaie une fois. Marche un petit moment puis reviens. Emmène Bonny avec toi. Mais surtout ne traverse pas le cours d'eau. Reste de ce côté-ci.

Le garçon et la chienne s'éloignèrent un peu du campement avant de revenir. Puis ils descendirent plus en aval. Ils farfouillèrent dans les cailloux, examinèrent le mica scintillant et grimpèrent sur les gros rochers d'où, allongés, ils regardèrent l'eau couler. Puis ils repartirent en sens inverse.

Qu'est-ce que vous avez vu ? demanda Louis.

On n'a pas vu d'ours. Mais il y avait un daim.

Et Bonny, qu'est-ce qu'elle a fait ?

Elle a aboyé après. On a juste fait demi-tour. C'est tout ce qu'on a fait.

Le soir ils préparèrent un autre petit feu et Addie découpa des oignons et des poivrons qu'elle fit revenir au beurre dans le poêlon en fonte. Elle y ajouta le bœuf haché et la sauce tomate, mais aussi une sauce qu'elle avait concoctée avant le départ avec une cuillerée de sucre et de sauce Worcester, un quart de tasse de ketchup et du sel et du poivre. Après avoir bien mélangé le tout, elle plaça un couvercle sur le poêlon. Louis et Jamie sortirent les petits pains à hamburger et les chips qui restaient de la veille et les posèrent sur la table, avec les assiettes et les gobelets

115

incassables. Accompagné de la chienne, Jamie alla remplir la cruche à la pompe et revint avec de l'eau délicieusement fraîche, puis le trio dîna assis près du feu tandis que la nuit tombait. Le garçon donna à Bonny un peu de son hamburger bolognaise en guettant Louis pour voir ce qu'il en pensait. Louis lui adressa un clin d'œil puis regarda ailleurs vers les arbres.

On va voir des ours cette nuit ? demanda Jamie.

J'en doute, répondit Louis. Si oui, ce sera un ours noir. Mais ils ne nous attaqueront pas si on ne leur fait pas peur. Bonny nous avertira de toute façon.

J'aimerais en voir un depuis le pick-up. Depuis l'intérieur.

Ce serait l'idéal, c'est vrai.

Est-ce que ça t'inquiète ? demanda Addie.

J'aimerais en voir un, c'est tout.

Ils versèrent de l'eau sur le feu. Le bois dégagea de la vapeur et fuma, et les braises rougeoyèrent un instant avant de s'éteindre. Louis emmena Jamie sous les arbres, la torche projetant son faisceau lumineux devant eux. Il s'arrêta.

Tu peux faire pipi ici, dit-il. On n'est pas obligés d'aller aux toilettes quand il fait noir comme ça.

Mais j'ai pas le droit de faire ça dehors.

Ça ira pour cette fois. Personne ne nous verra. Il éteignit la lampe. Les animaux font bien pipi dans la nature. Je pense qu'on peut, pour une fois.

Ils se soulagèrent tous deux sur le sol, après quoi Louis ralluma la torche et laissa Jamie la porter. La lumière dansait, traçant des boucles sur les arbres et les broussailles. Ils rejoignirent la tente.

Le lendemain ils quittèrent les montagnes et regagnèrent la plaine. Ils croisèrent d'autres gens qui montaient pour le week-end, tractant de gros camping-cars qui semblaient incongrus dans la forêt.

Dans la plaine l'air était chaud et sec et le paysage semblait plus plat qu'avant, mais aussi plus pelé et plus dénué d'arbres. Ils arrivèrent à Holt après la tombée de la nuit et, fatigués, ils prirent une douche et allèrent tout de suite se coucher chacun dans sa chambre.

28.

Début août Gene quitta Grand Junction pour venir les voir et Addie et Jamie l'accueillirent à la porte.

Je ne vois pas le chien dont tu m'as parlé, dit-il.

Elle est chez Louis, dit Jamie.

Tu l'appelles Louis ?

Oui. Il m'a demandé.

Ils entrèrent dans la maison et Gene monta ses affaires dans la chambre sur l'arrière où dormaient Jamie et la chienne. Il posa ses sacs sur le lit.

Je vais dormir ici avec toi dans mon ancienne chambre.

Et Bonny ?

Pas question qu'elle dorme ici avec nous.

Mais elle dort toujours avec moi.

On verra comment ça se passe.

Ils redescendirent et en fin d'après-midi Louis passa dire bonjour et amena la chienne avec lui. Jamie se mit à genoux devant elle, la caressa puis l'emmena jouer dans le jardin.

Ne va pas dans la rue, dit Gene.

T'inquiète, papa, on fait ça tout le temps. Ils sortirent.

Gene regarda Louis. Il paraît que vous habitez chez ma mère vous aussi.

Je reste certains soirs.

Et il s'agit de quoi?

D'amitié. Avant tout.

À quoi tu joues? intervint Addie. Tu es parfaitement au courant.

À quoi je joue? Ma mère couche avec un vieux schnock de voisin pendant que mon fils est dans la chambre à côté et je ne suis pas censé poser de questions.

Exactement. Je ne vois pas en quoi ça te regarde.

Ça me regarde si mon fils est ici.

Il n'y a rien de perturbant pour lui, dit Louis. Je ne crois pas que ce soit nocif. Je ne serais pas là si je le pensais.

Vous êtes mal placé pour en juger. Vous avez ce que vous voulez. Pourquoi vous soucier d'un gamin qui n'est pas de votre famille?

Détrompez-vous, je me soucie de lui.

Eh bien, vous pouvez arrêter. Je ne veux pas qu'il soit bouleversé. Je sais qui vous êtes. Quand j'étais môme, j'avais su ce que vous aviez fait.

Vous aviez su quoi?

Que vous aviez quitté votre femme et votre fille pour une autre femme.

C'était il y a plus de quarante ans.

Il n'empêche que c'est arrivé.

Et je le regrette. Mais je ne peux pas revenir en arrière. Louis observa Gene un moment. Je crois que je vais m'en aller. Tout cela ne mène à rien.

Je t'appelle plus tard, lui dit Addie.

Il se leva et sortit.

Pourquoi tu agis de cette façon? demanda Addie. Qu'est-ce qui ne va pas chez toi?

Je ne veux pas que mon fils souffre.

Tu ne crois pas qu'il a déjà souffert à cause de ses parents cet été?

Si, justement. Et maintenant ça empire.

Tu ne sais pas de quoi tu parles. Il va beaucoup mieux aujourd'hui que quand tu me l'as laissé. Et si tu veux savoir, Louis lui a fait du bien.

Parce que, bien sûr, il en a après ton argent, par-dessus le marché.

Mais enfin qu'est-ce que tu racontes?

Si tu l'épousais il aurait la moitié de tout ce qui t'appartient, pas vrai? Et moi je n'y pourrais rien.

Nous ne nous marions pas. Et il ne s'intéresse pas à mon argent. Mon Dieu, le peu d'estime que tu dois avoir pour moi.

Il détourna le regard. Je ne sais pas ce que je vais faire. Il faut que je reparte à zéro.

Tu sais bien que je t'aiderai.

Pendant combien de temps?

Aussi longtemps qu'il faudra. Aussi longtemps que je pourrai.

Tu en as déjà marre. Et c'est normal.

N'empêche, je continue. Tu es mon fils. Jamie est mon petit-fils.

Les deux soirs suivants la chienne resta chez Louis et le gamin dormit en haut dans la chambre sur l'arrière avec son père. La deuxième nuit, il fit un cauchemar et se réveilla en pleurant et demeura inconsolable jusqu'à ce qu'Addie vienne le serrer dans ses bras et le ramène dans son lit. Le lundi Gene leur dit au revoir et reprit la route.

Après le départ de son père le garçon alla chez Louis, mit la chienne en laisse et posa le tube protecteur sur sa patte. Il sortit avec elle, tourna au coin du pâté de maisons et remonta la ruelle jusqu'au jardin de sa grand-mère. Là, il joua avec l'animal tandis qu'Addie et Louis le suivaient des yeux.

Ça s'est mal passé cette nuit, dit Addie. Comme au début quand il est arrivé. Il a fait des cauchemars. Il était à nouveau tout retourné. Et voilà que Gene m'annonce que Beverly va rentrer au bercail d'ici deux ou trois semaines.

Qu'est-ce que ça va donner, à ton avis ?

Je n'en sais rien. Ils vont réessayer, j'imagine. Elle va revenir habiter là. Et Jamie va reprendre l'école.

Il pourrait emmener la chienne quand il partira. S'ils sont d'accord.

Je n'en suis pas certaine.

Tu devrais poser la question. En tout cas, ça l'aiderait.

Ils regardèrent Jamie et Bonny dans le jardin de derrière.

Tu veux que je vienne ce soir ? demanda Louis.

T'as intérêt, espèce de vieux dégoûtant.

Il n'a pas dit que j'étais dégoûtant.

Non, mais il n'en pensait pas moins.

29.

Louis dit : Ça a été horrible pour elle la dernière année. Elle était malade en permanence. Ils ont essayé la chimiothérapie et les rayons et ça a ralenti le processus quelque temps mais la maladie était toujours là et elle n'est jamais sortie totalement de son organisme. Son état s'est aggravé et elle n'a plus voulu continuer les traitements. Elle dépérissait à vue d'œil.

Je me souviens, dit Addie. Je voulais aider.

Je sais. Toi et tous les autres vous apportiez à manger. Ça me touchait beaucoup. Et les fleurs, aussi.

Mais je ne suis jamais montée dans sa chambre.

Non. Elle ne voulait aucune compagnie à l'étage à part Holly et moi. Elle ne voulait pas qu'on la voie, changée comme elle était les derniers mois. Et elle n'avait pas envie de parler. Elle avait peur de la mort. Tout ce que je disais ne servait à rien.

Et toi, tu n'as pas peur de la mort ?

Pas comme autrefois. J'ai fini par croire à une sorte de vie après la mort. Un retour à notre moi véritable, un moi spirituel. Nous ne sommes dans ce corps physique que le temps de retrouver une forme immatérielle.

Je ne suis pas sûre de croire à ça, dit Addie. Peut-être que tu as raison. Je l'espère.

On verra bien, pas vrai ? Mais pas tout de suite.

Non, pas tout de suite. J'aime vraiment beaucoup ce monde physique. J'aime cette vie physique avec toi. Et l'air et la campagne. Le jardin de derrière, le gravier dans la ruelle. L'herbe. La fraîcheur des nuits. Être allongée au lit à discuter avec toi dans le noir.

Moi aussi j'adore tout ça. Mais Diane n'en pouvait plus. À la fin elle était trop fatiguée et trop lasse pour prêter encore attention à ses peurs. Elle voulait que ça cesse, être enfin soulagée. Que ses souffrances prennent fin. Elle a horriblement souffert les derniers mois. Tellement de douleur. Même avec les sédatifs et la morphine. Mais la plupart du temps, en profondeur, elle était encore terrifiée. J'entrais dans la chambre, j'allais voir comment elle allait pendant la nuit et je la trouvais éveillée à scruter l'obscurité par la fenêtre. Je peux faire quelque chose ? je demandais. Non. Tu as besoin de quelque chose ? Non. Je veux seulement que ça finisse. Holly l'aidait à prendre des bains et essayait de la convaincre de manger mais elle n'avait pas d'appétit. Elle refusait d'avaler quoi que ce soit. Je suppose que d'une certaine façon elle savait qu'elle se laissait mourir de faim. Elle était tellement frêle et minuscule à la fin que ses jambes et ses bras étaient comme des baguettes. Ses yeux paraissaient trop grands dans sa figure. C'était atroce à voir et bien plus atroce pour elle, bien sûr. Je rêvais de faire quelque chose pour elle mais il n'y avait absolument rien d'autre à faire que ce que nous faisions déjà. L'infirmière des soins palliatifs venait tous les jours, elle était très compétente et nous aidait à faire en sorte

123

qu'elle puisse mourir à domicile. Elle ne voulait à aucun prix retourner à l'hôpital. Alors c'est comme ça que ça s'est passé. Elle a fini par mourir. Holly et moi étions tous les deux dans la chambre. Elle nous a dévisagés avec ses grands yeux sombres et fixes comme si elle disait Aidez-moi Aidez-moi Pourquoi vous ne m'aidez pas. Et puis elle a cessé de respirer et elle est partie.

Certains prétendent que l'esprit s'attarde quelque temps à flotter au-dessus du corps, et peut-être est-ce arrivé pour Diane. Holly a dit qu'elle avait la sensation que sa mère était dans la pièce et j'avais peut-être la même moi aussi. Je ne pouvais pas être sûr. J'ai ressenti quelque chose. Une sorte d'émanation. Mais très infime, peut-être un simple souffle. Je ne sais pas. Au moins elle est en paix maintenant, dans un autre monde ou un monde plus juste. Je crois à ça. J'espère que c'est le cas. Elle n'a jamais réellement obtenu ce qu'elle attendait de moi. Elle avait une conception particulière, une notion assez précise de ce que devait être la vie, de ce que devait être le mariage, mais notre couple n'a jamais correspondu à ça. J'ai déçu ses espoirs de ce point de vue-là. Elle aurait dû épouser quelqu'un d'autre.

Là encore tu es trop dur avec toi-même, dit Addie. Qui obtient jamais ce qu'il attend? Cela n'arrive pas à grand monde, si tant est que cela arrive. C'est l'éternelle histoire de deux êtres qui avancent à l'aveuglette et se cognent sans arrêt l'un contre l'autre en cherchant à se conformer à de vieilles idées, de vieux rêves et à des notions erronées. Sauf que je continue à dire que ce n'est pas vrai pour toi et moi. Pas à l'heure qu'il est, pas aujourd'hui.

C'est ce que je ressens moi aussi. Mais il se peut que tu en aies assez de moi et que tu veuilles laisser tomber.

Si cela se produit, on pourra arrêter, dit-elle. C'est l'accord implicite entre nous, non? Même si on ne l'a jamais énoncé formellement.

Oui, quand tu en auras assez, tu pourras le dire.

Pareil pour toi.

Je ne crois pas que ça m'arrivera. Diane n'a jamais connu l'entente qui est la nôtre. À moins qu'elle n'ait eu quelqu'un sans que je le sache. Mais non. Ce n'était pas sa façon de raisonner.

30.

En août se tint sur les champs de foire au nord de la ville la foire annuelle du comté de Holt, avec ses rodéos et ses concours de bétail. La fête commença par un défilé partant de l'extrémité sud de Main Street et remontant la rue vers les voies ferrées et la vieille gare. Il pleuvait ce jour-là. Louis et Addie revêtirent des imperméables et habillèrent Jamie d'un sac poubelle en plastique noir percé d'un trou, puis le trio rejoignit la grand-rue pour se poster le long de la chaussée avec les autres spectateurs. Il y avait foule de part et d'autre malgré le temps. La garde d'honneur ouvrait la marche, drapeau ruisselant et fusils dégoulinants, puis vinrent de vieux tracteurs rugissants suivis de vieilles moissonneuses-batteuses hissées sur des remorques à plateau avec des andaineuses et autres faucheuses anciennes, puis encore des tracteurs grondant et pétaradant, puis l'orchestre du lycée, réduit durant l'été à une quinzaine de membres dont les chemises blanches et les jeans complètement détrempés leur collaient à la peau, puis les cabriolets transportant les dignitaires du comté, capote relevée à cause de la pluie, puis la reine du rodéo et son escorte à cheval, toutes de bonnes cavalières vêtues de cache-poussière, puis d'autres belles voitures aux portières ornées de publicités, des voitures pour le Lions Club et le Rotary et, dans leurs karts surboostés, les Kiwanis et les Shriners zigzaguant dans la rue comme de gros bambins frimeurs, puis encore des chevaux et des cavaliers en longs cirés jaunes et aussi une carriole, et en queue de cortège un camion à plateau avec dessus une image pieuse en carton et une estrade à l'avant, élément introduit dans le défilé par une des églises évangéliques de la ville. Sur l'estrade il y avait une croix en bois et, devant, un jeune homme aux longs cheveux et à la barbe brune habillé d'une tunique blanche qui, pour se protéger, tenait un parapluie au-dessus de sa tête. En l'apercevant, Louis s'esclaffa. Les gens à proximité se retournèrent pour le dévisager.

Tu vas t'attirer des ennuis, dit Addie. C'est du sérieux.

Il peut peut-être marcher sur l'eau, mais il ne peut pas l'empêcher de lui tomber sur la tête.

Chut, fit-elle. Un peu de tenue.

Jamie leva le regard vers eux pour voir s'ils se disputaient pour de bon.

À la fin du défilé la balayeuse municipale vint nettoyer la rue avec ses grandes brosses rotatives.

L'après-midi la pluie s'arrêta et ils allèrent en voiture aux champs de foire. Ils se garèrent et traversèrent les étables. Ils admirèrent les chevaux à la robe lustrée et les vaches bichonnées avec leur queue au toupillon bien gonflé, ils examinèrent les énormes cochons couchés dans la paille sur le sol en ciment des enclos, allongés là bien gras, bien haletants et bien roses, à battre des oreilles, ils passèrent devant les chèvres et les moutons tous impeccablement apprêtés, puis entre les cages des lapins et des poulets, avant de sortir et de rejoindre le secteur de la fête foraine. Ils mirent Jamie sur la grande roue avec Addie, car Louis expliqua que ce manège lui donnait mal au cœur. Addie et le garçonnet s'élevèrent dans les airs et lorsqu'ils furent en haut elle lui indiqua la grand-rue, le silo à grains et le château d'eau, puis elle lui montra où se trouvaient leurs deux maisons dans Cedar Street.

Tu la vois, ma maison?

Non.

Juste là. Avec les grands arbres.

Je ne la vois pas.

Ils regardèrent loin par-delà les limites de la ville vers la pleine campagne où ils discernèrent des fermes et des granges et repérèrent les brise-vent. Ensuite ils essayèrent plusieurs jeux, le tir à la carabine et le chamboule-tout, achetèrent à Jamie une barbe à papa rose dans un cornet en papier tandis qu'eux prenaient des granités, déambulèrent en observant les gens puis revinrent sur leurs pas et Addie et Jamie refirent un tour de grande roue. C'était maintenant la fin de l'après-midi. Le rodéo se poursuivait dans les arènes de l'autre côté des tribunes : ils entendaient la voix sonore et joyeuse du présentateur. Ils ne prirent pas de billets pour les gradins mais longèrent les arènes jusqu'au bout pour aller assister pardessus la barrière aux captures de veaux au lasso et aux montes de taureaux. Une course d'un quart de mille se déroulait sur la cendrée et ils regardèrent les chevaux passer au grand galop : les jockeys franchissaient la ligne d'arrivée debout sur leurs étriers et les chevaux avaient les naseaux dilatés et les flancs frémissants. Après cela ils retournèrent à la voiture et rentrèrent à la maison, le garçon alla chercher la chienne dans la cuisine de Louis, et ils dînèrent sur la véranda de devant alors que le jour finissait.

31.

Louis tondit sa pelouse puis celle d'Addie, transvasant l'herbe du bac arrière dans une brouette, que Jamie partait vider dans la ruelle sur le tas de compost avant de recommencer. Quand ils eurent terminé Louis rinça la tondeuse au jet puis la rangea dans la remise.

Dans l'angle de la cabane il souleva le couvercle de la boîte où nichaient les souris.

Tu crois qu'on les reverra un jour, ces souris ?

Ça se peut, dit Louis. Il faudra guetter.

Je me demande où elles sont allées. Je me demande si la mère les a retrouvées.

Ils entrèrent dans la cuisine d'Addie où ils burent du thé glacé puis ressortirent dans la cour latérale, à l'ombre, pour jouer au lancer. Addie vint avec eux. Bonny n'arrêtait pas de foncer après la balle et de sauter en l'air. L'attrapant dans sa gueule lorsqu'elle touchait le sol, elle se mettait à courir en cercle jusqu'à ce qu'ils l'interceptent.

À midi Louis regagna sa maison et Jamie garda la chienne avec lui chez Addie. Il déjeuna avec sa grand-mère en bavardant tranquillement, puis Bonny et lui montèrent dans la chambre de derrière et la chienne s'endormit au pied du lit dans la chaleur de la pièce pendant qu'il jouait avec son téléphone et appelait sa mère.

On va se voir bientôt, annonça sa mère. Je ne te l'ai pas dit ? Je rentre à la maison.

Et papa, il dit quoi ?

Il dit que c'est bien. Tous les deux, on veut réessayer. Tu n'es pas content ?

Quand est-ce que tu reviens ?

Dans une semaine ou deux.

Tu habiteras dans la maison ?

Bien sûr. Où voudrais-tu que j'habite ?

Je ne sais pas. Peut-être ailleurs ?

Mon chou, je veux être avec toi.

Et papa.

Oui, et papa.

32.

Quelques jours plus tard Addie, Louis et Jamie allèrent dîner au restaurant Wagon Wheel sur la grand-route à l'est de la ville et s'installèrent à une des tables près des grandes fenêtres. Elles avaient vue sur les champs de blé au sud. Le soleil se couchait et les chaumes étaient magnifiques sous la lumière déclinante. Ils avaient déjà commandé quand un vieux bonhomme vint s'asseoir lourdement sur la chaise libre. Un solide gaillard en chemise à manches longues et jean neuf, la trogne très rouge et très large.

Louis dit : Tu connais Addie Moore, n'est-ce pas, Stanley ?

Pas autant que je voudrais.

Addie, je te présente le célèbre Stanley Thompkins.

Je suis pas célèbre. Ou alors tristement célèbre.

Et voici le petit-fils d'Addie, Jamie Moore.

Voyons ta poigne, fiston.

Le garçon allongea le bras pour serrer la main épaisse du vieillard. Le vieillard grimaça et Jamie le dévisagea.

J'ai appris que vous vous fréquentiez, tous les deux, dit Stanley.

Addie a la patience de me supporter, dit Louis.

J'en connais un à qui ça redonne de l'espoir.

Addie lui tapota la main. Merci. C'est plutôt réjouissant, pas vrai?

Quelqu'un dans vos relations pour s'acoquiner avec un vieux cultivateur de blé?

Je vais me mettre en quête.

Je suis dans l'annuaire. Facile à joindre.

Alors quoi de neuf? demanda Louis.

Oh, tu sais, la routine. Mon fils a rentré la récolte puis a filé à Vegas. Que veux-tu, l'argent lui brûle les doigts. Il a même emmené avec lui une nana pêchée à Brush. Je l'ai jamais vue. Canon, sûrement.

Pourquoi tu ne les as pas accompagnés?

Putain merde. Il regarda Jamie. Pardon pour l'expression. Jamais aimé rester assis avec des inconnus à patouiller des cartes. Si t'organisais un poker chez toi ou si ça se passait chez quelqu'un du pays, ce serait pas pareil. On saurait avec qui on joue et ce serait plus marrant. Mais bon, je suis pas fait pour les villes de toute façon.

La récolte était bonne?

Ma foi, oui, pas mauvaise cette année, Louis. Je veux pas le dire trop fort. Mais ç'a été une des meilleures années qu'on ait eues depuis longtemps. La pluie est tombée pile quand il fallait et en quantité, et on n'a pas eu de grêle par chez nous. Notre voisin au sud, si. Enfin voilà, on a eu du bol de bout en bout.

La serveuse apporta leurs plats.

Je vous empêche de dîner. Il se leva et tendit la main pour serrer une nouvelle fois celle du gamin. Vas-y doucement. Le gamin lui prit la main avec

133

hésitation et la saisit à peine. Très bien, à un de ces quatre.

Fais attention à toi.

Ravi de vous avoir rencontrée, madame Moore.

Quand ils eurent fini de dîner ils roulèrent dans la campagne jusque chez les Thompkins au nord-est de la ville et s'arrêtèrent pour contempler les chaumes à la lueur des étoiles : l'éteule paraissait drue et régulière.

Sa moisson a dû être vraiment bonne, dit Louis. Je suis content. Il a connu de mauvaises années. Comme tout le monde.

Mais pas cette année-ci, dit Addie.

Non. Pas cette année-ci.

33.

Il est mort pendant l'office un dimanche matin, dit
Addie. Ça, tu le sais.

Oui, je m'en souviens.

C'était en août, il faisait très chaud dans l'église et
Carl portait toujours un costume même en été même
par les jours les plus caniculaires. Il estimait que
c'était de son devoir en tant qu'homme d'affaires, en
tant qu'agent d'assurances. D'après lui, il fallait toujours faire bonne figure. Je ne sais pas pour quoi ni
pour qui cela avait de l'importance. En tout cas ça en
avait pour lui. À la moitié du sermon du pasteur je l'ai
senti qui s'appuyait contre moi et j'ai pensé : Il s'est
endormi. Eh bien, qu'il dorme. Il est fatigué. Mais
soudain il s'est effondré et s'est cogné violemment la
tête sur le dossier du banc devant nous sans que j'aie
eu le temps de le rattraper. J'ai essayé de le retenir
mais il s'est comme plié en deux, il a glissé du banc
et il s'est écroulé au sol. Je me suis penchée, je lui ai
chuchoté : Carl. Carl. Les gens autour de nous le
regardaient et l'homme assis à côté de lui a coulissé
sur le banc pour tenter de m'aider à le relever. Le pasteur a cessé de parler et d'autres fidèles se sont levés

pour essayer d'aider. Appelez l'ambulance, a dit quelqu'un. On l'a soulevé et allongé sur le banc. J'ai essayé de lui faire du bouche-à-bouche et un massage cardiaque mais il était déjà parti. Les ambulanciers sont arrivés. Vous voulez qu'on l'emmène à l'hôpital ? ont-ils demandé, et j'ai répondu : Non, emmenez-le au funérarium. Il va falloir attendre le coroner pour pouvoir le déplacer, ont-ils expliqué. Alors on a attendu le coroner, qui a fini par arriver et constater le décès.

Les ambulanciers ont emmené Carl au salon funéraire et Gene et moi les avons suivis en voiture. L'entrepreneur des pompes funèbres nous a laissés dans l'arrière-salle, une pièce assez solennelle et silencieuse, qui n'était pas celle où étaient réalisés les embaumements. J'ai dit que je ne voulais pas qu'il soit embaumé. Gene ne le voulait pas non plus. Il était revenu de la fac pour l'été. Tous les deux nous sommes retrouvés seuls dans la pièce avec le corps de son père. Gene ne voulait pas le toucher, mais moi je me suis inclinée vers son visage et je l'ai embrassé. Carl était déjà froid à ce moment-là et il n'y avait pas moyen que ses yeux restent fermés. Il régnait une atmosphère étrange, inquiétante et très calme dans la pièce. Gene ne s'est pas décidé à le toucher. Il est sorti et je suis restée là deux ou trois heures, j'ai tiré une chaise à côté de lui, je me suis penchée et j'ai tenu sa main, et j'ai repensé à tous les moments qui m'avaient semblé agréables entre nous. En fin de compte je lui ai dit au revoir et je suis allée chercher le directeur du funérarium pour l'informer que nous avions fini et que nous voulions que le corps de Carl soit incinéré, et nous avons pris les dispositions

136

nécessaires. Tout cela était tellement soudain. J'étais dans une espèce de transe. Sans doute en état de choc, j'imagine.

C'est normal. Ça va de soi, dit Louis.

Mais même aujourd'hui que je peux revoir tout cela avec lucidité, je continue à éprouver cette sensation d'irréalité, comme si la scène se déroulait dans un rêve et que les décisions étaient prises machinalement, sans conscience véritable.

Gene a été affreusement bouleversé. Mais il refusait d'en parler. Il était comme son père pour ça. L'un comme l'autre, ils ne parlaient jamais des choses. Gene est resté ici une semaine puis il est reparti à la fac. Il a été autorisé à reprendre son appartement avant l'heure et il a passé là-bas le reste de l'été. Il aurait mieux valu qu'on se soutienne mutuellement mais cela ne s'est pas fait. Il faut dire que je n'ai pas beaucoup insisté. J'avais envie qu'il reste mais je voyais bien que cela ne nous aidait ni l'un ni l'autre. Nous ne faisions que nous éviter et quand j'essayais de lui parler de son père il disait : Ça ne fait rien, maman. Ça n'a plus d'importance maintenant. Bien sûr que ça avait de l'importance. Il avait accumulé des tonnes de colère et de rancœur contre Carl et je ne crois pas qu'il en soit libéré à ce jour. C'est en partie ce qui complique ses relations avec Jamie. Il semble reproduire ce qui s'est passé entre lui et son père.

Tu ne pourras pas arranger les choses, je le crains, dit Louis.

On voudrait toujours. Mais on ne peut pas.

34.

Un dimanche ils étaient à la table de la cuisine en train de prendre leur café du matin. Il y avait une publicité dans le *Post* pour la saison théâtrale à venir du Denver Center for the Performing Arts. Addie commenta : Tu as vu qu'ils vont adapter ce dernier bouquin sur le comté de Holt ? Celui avec le vieil homme en train de mourir et le pasteur.

Ils ont monté les deux autres, alors autant faire celui-là aussi, dit Louis.

Tu as vu les précédents ?

Oui. Mais j'ai du mal à imaginer deux vieux ranchers accueillir chez eux une jeune fille enceinte.

Ça n'est pas impossible, dit-elle. Les gens font parfois des choses inattendues.

Je ne sais pas, dit Louis. En tout cas c'est l'imagination de l'auteur. Il a emprunté des détails concrets à Holt, les noms des rues, la physionomie de la campagne, l'emplacement des choses, mais ce n'est pas cette ville pour autant. Et ce n'est personne de cette ville. Tout ça est inventé. Tu as connu deux frères comme ces deux vieux ? Cette histoire-là n'a pas eu lieu, si ?

Pas à ma connaissance.

Tout est imaginaire, dit-il.

Il pourrait écrire un livre sur nous. Qu'est-ce que tu dirais?

Je ne veux pas figurer dans un livre, dit Louis.

N'empêche, on n'est pas plus invraisemblables que ces deux vieux ranchers.

Mais nous c'est différent.

En quoi est-ce différent? demanda Addie.

Eh bien, c'est nous. Notre histoire ne me paraît pas invraisemblable.

Tu trouvais, au début.

Je ne savais pas quoi penser. Tu m'as pris au dépourvu.

Tu ne te sens pas rassuré à l'heure qu'il est?

C'était une surprise agréable. Je ne dis pas le contraire. Mais je ne comprends toujours pas comment tu as eu l'idée de me proposer ce marché.

Je te l'ai dit. La solitude. L'envie de discuter la nuit.

Ça paraît courageux. Tu prenais un risque.

Oui. Mais si ça n'avait pas marché je ne serais pas plus mal lotie. À part l'humiliation d'avoir été rejetée. Mais je ne pensais pas que tu le répéterais à qui que ce soit, alors il n'y aurait eu que toi et moi au courant. Tout le monde est au courant qu'on est ensemble aujourd'hui. Et ce depuis des mois. Nous ne sommes plus un scoop.

Nous ne sommes même plus d'actualité. Plus à l'ordre du jour, dit Louis.

Tu aimerais?

Bon Dieu non. Je veux juste vivre en toute simplicité et profiter de chaque journée qui passe. Et venir dormir avec toi le soir.

Eh bien, c'est ce qu'on fait. Qui aurait cru qu'à nos âges on pourrait encore connaître une expérience pareille ? Qu'on n'en aurait pas fini avec les changements et les émotions fortes. Qu'on ne serait pas complètement desséchés dans notre corps et dans notre esprit.

Et on ne fait même pas ce que les gens s'imaginent qu'on fait.

Tu voudrais ? demanda Addie.

Ça dépend entièrement de toi.

35.

Vers la fin du mois d'août un samedi Gene franchit les montagnes et roula jusqu'à Holt pour venir récupérer son fils. Il arriva chez sa mère tard dans l'après-midi, gravit le perron et les serra tous les deux dans ses bras avant de sortir marcher dans la rue avec Jamie et la chienne.

Tu l'aimes pas ?

Bien sûr que si.

Tu la touches jamais. Tu lui as pas fait de caresses une seule fois.

Il se baissa vers la chienne, lui tapota la tête et lui parla gentiment, puis ils firent le tour du pâté de maisons et retournèrent chez Addie par la ruelle. Ils dînèrent et cette nuit-là Gene dormit avec Jamie et la chienne, tous les trois dans le même grand lit de la chambre de derrière. Louis resta chez lui.

Le matin ils rassemblèrent les affaires de Jamie, ses vêtements, ses jouets et son équipement de softball, sans oublier la gamelle et les croquettes de la chienne. Puis le garçon annonça : Il faut que j'aille dire au revoir à Louis.

On doit filer.

Juste une minute, papa. Il le faut.

Ne mets pas trop longtemps, alors.

Il fonça chez Louis, mais il n'était pas là. Il ouvrit la porte, appela dans la maison et fit le tour des pièces en courant. Il revint en larmes.

Tu pourras lui téléphoner après, dit son père.

C'est pas pareil.

On ne peut pas attendre. Là, déjà, il sera tard quand on va arriver.

Addie le pressa fort dans ses bras et dit : Surtout tu m'appelleras, entendu ? Je veux savoir comment tu vas et comment ça se passe à l'école. Jamie se cramponnait à elle. Elle lui desserra doucement les doigts. Je compte sur toi pour m'appeler, d'accord ?

J'appellerai, grand-mère.

Elle embrassa Gene. Et toi, sois patient.

Je sais, maman.

Je l'espère. Toi aussi, appelle-moi.

Ils démarrèrent. Elle se tenait plantée sur le trottoir et le gamin et la chienne la regardaient ensemble par la vitre arrière. Le gamin pleurait toujours. Addie suivit la voiture des yeux jusqu'à ce qu'elle tourne et disparaisse. Quand la nuit tomba Louis n'était toujours pas passé et elle l'appela. Où es-tu ? Tu ne viens pas ?

Je ne sais pas si je dois.

Tu ne comprends toujours pas, on dirait. Je ne veux pas rester seule à ruminer comme toi dans mon coin. Je veux que tu viennes pour pouvoir discuter avec toi.

Laisse-moi d'abord faire un brin de toilette.

Tu n'as pas besoin de faire un brin de toilette.

Si, j'y tiens. Je serai là dans une heure.

Je ne serai pas partie. Je t'attends.

Il se rasa et prit une douche comme il le faisait toujours puis dans l'obscurité du soir il passa devant les maisons des voisins. Elle l'attendait assise sur la véranda. Elle se leva et, debout sur le perron, elle l'embrassa pour la première fois devant tout le monde. Tu te trompes tellement parfois, dit-elle. Je me demande si tu comprendras un jour.

Je ne me croyais pas si lent à la comprenette. Mais je dois l'être.

Tu l'es quand il s'agit de moi.

Je sais ce que je pense de toi et ce que tu représentes pour moi. Mais impossible de me mettre dans la tête que je représente un tant soit peu la même chose pour toi.

Je ne vais pas te réexpliquer. C'est ton problème, pas le mien. Allez, on monte.

Au lit ils s'enlacèrent dans le noir et elle dit : Je ne sais pas comment ça va tourner.

Tu parles de nous, là ?

Je parle de mon fils et de mon petit-fils et de la mère du gamin. Il pleurait quand il est parti. Tu sais pourquoi ?

Parce que tu vas lui manquer.

Oui, dit-elle. Mais il pleurait parce qu'il n'a pas pu te dire au revoir. Où étais-tu ?

J'étais parti rouler dans la campagne et puis j'ai décidé de pousser jusqu'à Phillips pour déjeuner et je ne suis rentré qu'en fin d'après-midi.

Il est allé chez toi : il voulait te voir avant de partir. Tu vois comme il tient à toi.

Moi aussi je tiens à lui.

J'espère juste que Gene et sa femme feront des efforts. Ils auront peut-être appris quelque chose pendant l'été. Je ne suis pas très rassurée.

Qu'est-ce que tu m'as expliqué, déjà? Qu'on ne pouvait pas arranger la vie des gens à leur place?

Je disais ça pour toi. Pas pour moi.

Je vois, dit Louis.

Mais je me sens déjà mieux à discuter avec toi près de moi.

On n'a pas encore dit grand-chose.

N'empêche, je me sens déjà mieux. Je te remercie pour ça. Je te suis reconnaissante pour tout le reste. Voilà que je me sens à nouveau très chanceuse.

36.

Après le départ de Jamie ils essayèrent de faire ce que la ville avait toujours cru qu'ils faisaient alors que non. Louis se déshabilla avec lenteur dans la chambre et enfila son pyjama, dos tourné par rapport au lit où Addie était étendue sous un drap de coton. Quand il pivota vers elle elle avait rabattu le drap et était allongée nue sur le lit sous la faible lumière de la lampe de chevet. Il demeura immobile à la regarder.

Ne reste pas planté là. Tu me rends nerveuse.

Surtout pas, dit-il. Tu es ravissante.

J'ai trop de hanches et trop de ventre. Un corps de vieille. Je suis une vieille femme aujourd'hui.

Eh bien, vieille femme Moore, je suis totalement conquis. Tu es parfaite. Tu as le physique qu'il faut. Tu n'es pas censée être une gamine de treize ans sans poitrine ni hanches.

C'est sûr, je ne suis plus comme ça, à supposer que je l'aie jamais été.

Et moi, regarde de quoi j'ai l'air, dit-il. Tu as vu cette bedaine ? Et mes bras et mes jambes ? Tout maigres comme des bras et des jambes de vieillard.

Moi je te trouve pas mal du tout. Mais tu es toujours planté là. Tu ne comptes pas t'allonger? Tu comptes rester planté là toute la nuit?

Louis enleva son pyjama et se glissa dans le lit. Elle se rapprocha, lui prit la main et l'embrassa tandis que, couché sur le flanc, il l'embrassait à son tour, lui caressant l'épaule puis les seins.

Ça fait un bail qu'on ne m'a pas fait ça.

Ça fait un bail que je n'ai rien fait de ce genre.

Il l'embrassa à nouveau et la caressa et elle l'attira davantage contre elle. Il se souleva dans le lit et lui embrassa le visage, le cou et les épaules, puis il s'allongea sur elle et commença à bouger mais s'interrompit peu après.

Qu'est-ce qui ne va pas?

Je n'arrive pas à rester dur. La complainte du vieillard.

Tu as déjà eu ce souci-là?

Non. Mais bon, ça fait des années que je n'ai pas tenté l'exercice. Voici venu le temps de la mollesse, dirait le poète. Je ne suis plus qu'une vieille baderne.

Il se rallongea à côté d'elle dans le noir.

Ça t'ennuie? demanda-t-elle.

Ouais, un peu. Mais c'est surtout que j'ai l'impression de t'avoir déçue.

Absolument pas. Ce n'est que la première fois. Nous avons tout le temps.

Peut-être que je devrais essayer ces pilules dont ils font la pub à la télé.

Oh, je crois que ça ne sera pas nécessaire. On réessaiera un autre soir.

37.

À la nuit tombée, un soir, en se promenant, ils allèrent dans la cour de récréation de l'école primaire et Louis poussa Addie sur la grande balançoire : elle s'envolait puis redescendait dans la fraîcheur nocturne de fin d'été, le bas de sa jupe flottant autour de ses genoux. Ensuite ils rentrèrent se coucher à l'étage chez Addie dans sa chambre de devant et demeurèrent allongés nus côte à côte alors que l'air d'été s'insinuait par les fenêtres ouvertes.

Une fois ils passèrent la nuit à Denver comme elle le faisait jadis au Brown Palace Hotel, cet immense et superbe vieil hôtel avec son atrium et son hall, et son pianiste d'ambiance qui jouait à longueur d'après-midi et de soirée. Leur chambre se trouvait au deuxième étage. Accoudés à la balustrade, ils pouvaient contempler la cour intérieure en contrebas et voir le pianiste et les gens attablés en train de prendre le thé ou de boire des cocktails, tandis que les serveurs allaient et venaient depuis le bar. Puis, à mesure que la nuit approchait, les clients se dirigeaient vers le bar ou vers le restaurant avec ses nappes blanches, ses verres étincelants et son argenterie rutilante. Ils descendirent dîner au restaurant puis remontèrent, et Addie revêtit une des robes hors de prix qu'elle avait achetées des années plus tôt pour ne les mettre qu'à Denver. Ils quittèrent l'hôtel et se rendirent à pied au centre commercial de la 16ᵉ Rue, puis prirent la navette jusqu'à Curtis Street, d'où ils rejoignirent le Denver Center. Là ils traversèrent le hall et tournèrent à gauche en direction du théâtre. Une ouvreuse les accompagna à leurs sièges – le théâtre était un immense auditorium –, et ils regardèrent partout autour d'eux les gens qui arrivaient et bavardaient, puis la comédie musicale commença, les acteurs chantant leur livret missionnaire en pantalon noir, cravate et chemise blanche, le public amusé par moments. Ils se tinrent la main et à l'entracte ils allèrent aux toilettes. Il y avait une longue file d'attente chez les femmes. Louis retourna s'asseoir et Addie revint juste à temps pour la deuxième partie.

Ne dis rien, dit-elle.

Je ne dis rien.

Pourquoi n'arrivent-ils pas à comprendre que les femmes mettent plus longtemps et qu'il leur faut plus de cabines ?

Tu sais bien pourquoi.

Parce que ce sont des hommes qui conçoivent ces choses-là, voilà pourquoi.

Ils assistèrent à la deuxième partie puis regagnèrent la rue et ses vives lumières devant le bâtiment. Ils attrapèrent un taxi pour rentrer à l'hôtel.

Tu as envie d'un verre ? demanda-t-il.

Rien qu'un.

Au bar on les conduisit à une table et chacun but un verre de vin, puis ils prirent l'ascenseur jusqu'à leur chambre, se déshabillèrent et se glissèrent dans le grand lit king-size. Ils éteignirent les lampes : seul l'éclairage de la rue filtrait à travers les rideaux en dentelle.

On s'amuse bien, non ? dit-elle.

C'est pas moi qui dirais le contraire.

Elle se blottit contre lui.

Je ne pourrais pas être plus heureuse. C'est exactement ce dont j'ai envie et demain je serai contente de retrouver notre lit.

Chaque chose en son temps, dit-il.

Bon alors, tu vas m'embrasser dans ce grand lit d'hôtel, oui ou non ?

J'y compte bien.

Le lendemain matin ils prirent leur petit déjeuner assez tard dans la salle à manger puis ils firent leurs bagages et le voiturier amena la voiture de Louis devant l'hôtel et les aida à charger leurs sacs. Louis se sentait tellement bien qu'il lui donna un pourboire généreux. Ils rentrèrent tranquillement par l'US 34 et les hautes plaines, traversant Fort Morgan et Brush et atteignant finalement le comté de Holt avec ses étendues plates et ses arbres quasi inexistants hormis dans les brise-vent, le long des rues des petites villes et autour des corps de ferme. Il n'y avait aucun nuage dans le ciel et rien sur la ligne d'horizon sinon encore du ciel bleu.

Ils arrivèrent chez Addie dans l'après-midi et Louis lui monta ses bagages dans sa chambre, puis il ramena sa voiture chez lui et déballa ses affaires. À la tombée du soir il retourna chez elle pour y passer la nuit.

38.

Le jour de la fête du Travail ils décidèrent de prendre la grand-route vers l'est pour aller au bord du Chief Creek. Le ruisseau n'avait pas beaucoup d'eau et son fond était sablonneux, avec des herbes folles et des saules qui poussaient de chaque côté, et des asclépiades. Autour, l'herbe avait été tondue par les bêtes. Dans un bosquet un peu en retrait du cours d'eau se dressaient de grands peupliers de Virginie plus tout jeunes. Addie s'empara du panier de pique-nique et Louis sortit le râteau et la pelle du coffre pour racler le feuilletage de vieilles bouses desséchées qui recouvrait le sol à l'ombre des arbres, là où les bêtes s'étaient mises à l'abri du vent.

Tu es déjà venu, dit Addie. Tu as prévu des armes.

On venait ici quand Holly était petite. C'est à peu près le seul endroit où trouver à la fois de l'eau vive et de l'ombre.

En tout cas, c'est joli. Ça ne vaut pas les montagnes, mais c'est joli pour le comté de Holt.

Oui.

On ne risque pas de se faire chasser?

Ça m'étonnerait. Le terrain appartient à Bill Martin. Il n'a jamais rien dit jusqu'ici.

Tu le connais.

Toi aussi, je pense.

Seulement de nom.

J'ai eu ses enfants comme élèves. Des gamins intelligents. Turbulents mais intelligents. Ils ont tous quitté la région aujourd'hui. J'imagine que leur père le regrette. Les jeunes n'ont pas envie de rester ici.

Addie étala une couverture sur la zone déblayée et ils s'assirent pour déguster leur poulet frit-coleslaw assorti de bâtonnets de carottes, de chips et d'olives. Elle leur découpa à chacun un morceau de gâteau au chocolat. Ils burent du thé glacé pour accompagner ce festin. Après déjeuner, ils s'allongèrent sur la couverture et observèrent les branches mouvantes de l'arbre au-dessus de leurs têtes : ses feuilles vertes se tordaient et voletaient sous la brise légère.

Au bout d'un moment Louis se redressa pour enlever ses chaussures et ses chaussettes. Il retroussa le bas de son pantalon, puis, marchant sur le sol brûlant, il gagna le ruisseau. Il se mit à patauger dans l'onde fraîche sur le fond sablonneux, recueillant de l'eau dans ses mains pour s'asperger le visage et les bras. Addie le rejoignit, pieds nus dans sa robe d'été. Elle la releva au-dessus de ses genoux et avança dans le ruisseau.

Oh mais quel délice par cette chaleur. Je ne suis jamais venue ici. Je ne savais pas qu'il existait un endroit pareil dans le comté de Holt.

Reste avec moi, dit-il. Tu apprendras un tas de choses, ma petite dame.

Louis retira sa chemise, son pantalon et son caleçon puis alla les déposer sur l'herbe. Revenant dans l'eau, il s'inonda le corps et s'assit dans le ruisseau.

Bon, si tu veux jouer à ça. Addie ôta sa robe par le haut, retira ses sous-vêtements et s'accroupit dans l'eau fraîche à côté de lui. Et puis je m'en fiche si quelqu'un nous voit, décréta-t-elle.

Ils demeurèrent face à face avant de s'allonger dans l'eau, tous deux très pâles à l'exception de leurs visages, leurs mains et leurs bras. Le ventre un peu trop plein, ils étaient rassasiés, comblés. Ils sentaient le courant qui faisait glisser de petits doigts de sable sous leurs corps.

Plus tard ils sortirent de l'eau, regagnèrent la couverture, s'essuyèrent et se rhabillèrent. Ils firent une sieste à l'ombre des arbres dans la chaleur de l'après-midi puis, se levant à nouveau, ils retournèrent barboter dans le ruisseau pour se rafraîchir une fois encore avant de remballer leurs victuailles et de reprendre le chemin de Holt. Il la déposa chez elle et Addie rentra avec le panier de pique-nique pendant qu'il remontait le pâté de maisons, garait sa voiture et remettait la pelle et le râteau dans la cabane. Il avait à peine franchi sa porte que le téléphone sonna.

Tu ferais mieux de venir tout de suite, dit Addie.

Qu'est-ce qui se passe?

Gene est là. Il veut nous parler à tous les deux.

J'arrive dans une minute.

Dans le salon Gene était assis sur le canapé en face d'Addie.

Asseyez-vous, Louis, ordonna-t-il.

Louis le regarda, traversa la pièce et embrassa Addie sur la bouche. Il y mit un point d'honneur. Puis il s'assit.

De quoi s'agit-il?

Je vais y venir, dit Gene. Je vous ai attendus tout l'après-midi.

Je lui ai expliqué où nous étions, dit Addie.

Ce n'est pas terrible, comme endroit.

Tout dépend de ce qu'on en fait. De la personne avec qui on est, dit Louis.

C'est justement pour ça que je suis ici. Je veux que ça s'arrête.

Vous parlez du fait que nous soyons ensemble, dit Louis.

Je parle du fait que vous vous faufiliez ici la nuit dans la maison de ma mère.

Personne ne se faufile, dit Addie.

Exact. Vous n'avez même pas honte de vous.

Il n'y a pas à avoir honte.

Des gens de votre âge qui se retrouvent dans le noir comme vous faites.

C'est extrêmement agréable. J'aimerais que Beverly et toi vous vous régaliez autant ensemble que Louis et moi.

Que dirait papa s'il était à ma place?

Il refuserait d'en discuter. Mais il n'aurait sans doute pas approuvé. Ce n'est pas une chose que lui-même aurait faite, en admettant qu'il ait pu y penser.

Non. Il n'aurait pas approuvé. Il avait plus de jugement, une idée plus claire de sa réputation.

Oh Seigneur. J'ai soixante-dix ans. Je me moque du qu'en-dira-t-on. Et ça t'intéressera peut-être de savoir qu'au moins une partie de la ville nous approuve.

Je ne te crois pas.

Eh bien, que tu le croies ou non, ça n'a pas d'importance.

Ça en a pour moi. Emmener ma mère à Denver. Emmener mon fils dans les montagnes. Et bon Dieu, tous les deux à dormir dans le même lit avec lui.

Comment tu sais ça?

Peu importe. Je le sais. Enfin merde, qu'est-ce qui vous a pris?

Il nous a pris qu'on a surtout pensé à lui, dit Louis. Il avait peur. On l'a fait venir pour le rassurer.

Oui, et toutes les nuits maintenant il pleure. Or ça, ça a commencé ici.

Dis plutôt que ça a commencé quand tu l'as laissé ici, protesta Addie.

Maman, tu sais pourquoi je l'ai fait. Tu sais que j'aime mon fils.

Justement, tu ne peux pas t'en tenir à ça? Tu ne peux pas te contenter de l'aimer? C'est un brave petit. Il ne demande rien d'autre.

Comme papa avec moi, tu veux dire.

Je sais que ton père n'a pas toujours été tendre.

Tendre. Seigneur, il n'a jamais prêté attention à moi après la mort de Connie.

Gene s'essuya les yeux. Il regarda Louis. Je ne veux plus que vous approchiez de ma mère. Je veux que vous laissiez mon fils tranquille. Et que vous oubliiez l'argent de ma mère.

Gene, tais-toi, veux-tu, dit Addie. N'ajoute pas un mot. Qu'est-ce qui ne va pas chez toi?

Louis se leva du canapé. Écoutez-moi, dit-il. Il est dommage que vous raisonniez comme ça. Je ne ferais jamais de mal à votre fils. Ou à votre mère. Mais je

154

ne la laisserai tranquille que si elle me l'ordonne. Et bon sang, une chose est sûre, je ne m'intéresse pas à son argent. Si vous voulez que nous rediscutions de tout ça, je vous verrai demain.

Louis se pencha, embrassa à nouveau Addie et sortit.

J'ai honte de toi, dit Addie. Je ne sais pas quoi te dire. Toute cette scène me soulève tellement le cœur. Me rend tellement triste.

Arrête de le voir, c'est tout.

Cette nuit-là Addie tira les couvertures sur son visage, tourna le dos à la fenêtre et pleura.

39.

Après la conversation avec Gene, Addie et Louis continuèrent à se voir. Il venait chez elle le soir mais c'était différent à présent. Ce n'était plus le même enjouement ni la même sensation de découverte. Petit à petit il y eut des nuits où il restait chez lui, des nuits où elle lisait des heures toute seule, sans vouloir qu'il soit là dans le lit avec elle. Elle cessa de l'attendre nue. Les fois où il venait ils continuaient à se tenir enlacés dans le noir, mais c'était plus par habitude, par chagrin, par solitude anticipée et par découragement, comme s'ils voulaient emmagasiner ces instants partagés pour mieux affronter un avenir désolé. Ils demeuraient allongés côte à côte en silence et ne faisaient plus l'amour.

Puis vint le jour où Addie tenta de parler à son petit-fils au téléphone. Elle entendait le gamin qui pleurait derrière mais son père refusait de lui passer l'appareil.

Pourquoi tu fais ça ? dit-elle.

Tu sais pourquoi. S'il faut faire ça pour que tu comprennes, je n'hésiterai pas.

Tu es affreux de mesquinerie. C'est cruel de faire ça. Je n'aurais pas cru que tu irais jusque-là.

Ça ne dépend que de toi.

Elle téléphona à son petit-fils un après-midi où elle pensait le trouver seul à la maison. Mais Jamie ne voulait pas lui parler.

Ils vont être en colère, dit-il. Il se mit à pleurer. Ils me prendront Bonny. Ils me prendront mon téléphone.

Oh mon Dieu, dit Addie. Ne t'en fais pas, trésor.

Lorsque Louis vint chez elle en milieu de semaine elle l'entraîna dans la cuisine, lui offrit une bière et se servit un verre de vin.

Je veux discuter. Ici, dans la lumière.

Un changement de plus.

Je ne peux plus faire ça, dit-elle. Je ne peux plus continuer comme ça. J'avais senti venir quelque chose de ce genre. J'ai besoin d'avoir des contacts, un lien suivi avec mon petit-fils. C'est le seul être qui me reste. Mon fils et sa femme ne me sont plus grand-chose à présent. C'est totalement brisé, je ne crois pas qu'on surmonte jamais ça, eux comme moi. Mais je veux garder des rapports avec mon petit-fils. Cet été me l'a confirmé.

Il t'aime.

Oui. C'est le seul de ma famille à tenir à moi. Il me survivra. Il sera auprès de moi quand je mourrai. Je ne veux pas des autres. Je me fiche des autres. Ils ont tué ça. Je me méfie de Gene. Je ne sais pas de quoi il serait encore capable.

Donc tu veux que je rentre chez moi.

Pas ce soir. Encore une nuit. Tu veux bien ?

Je croyais que de nous deux c'était toi la coura-geuse.

Je ne peux plus être courageuse.

Peut-être que Jamie se battra et qu'il t'appellera de lui-même.

Il n'est pas prêt. Il ne peut pas, il n'a que six ans. Peut-être quand il en aura seize. Mais je ne peux pas attendre si longtemps. Je serai peut-être déjà morte. Je ne peux pas rater toutes ces années avec lui.

Donc cette nuit est notre dernière.

Oui.

Ils montèrent à l'étage. Au lit dans le noir ils par-lèrent encore un peu. Addie pleurait. Il passa son bras autour d'elle et la serra contre lui.

Nous avons passé de bons moments, dit Louis. Tu as changé beaucoup de choses dans ma vie. Je te suis reconnaissant. Ça compte pour beaucoup.

Te voilà cynique.

Ce n'est pas voulu. Je pense ce que je t'ai dit. Tu m'as fait du bien. Que demander de plus ? Je suis un être meilleur que je ne l'étais avant. C'est grâce à toi.

Oh, tu continues à être gentil avec moi. Merci, Louis.

Ils restèrent allongés sans dormir à écouter le vent à l'extérieur de la maison. À deux heures du matin Louis se leva et alla dans la salle de bains. Quand il revint au lit il dit : Tu ne dors toujours pas.

Je n'arrive pas à dormir.

À quatre heures il se leva à nouveau, s'habilla et rangea son pyjama et sa brosse à dents dans le sac en papier.

Tu t'en vas ?

Je me disais qu'il valait mieux.

La nuit n'est pas finie.

Ça ne rime à rien de repousser.

Elle se remit à pleurer.

Il descendit l'escalier et rentra chez lui en passant devant les vieux arbres et les maisons plongées dans le noir, d'apparence si étrange à cette heure-là. Le ciel était encore sombre et rien ne bougeait. Pas de voitures dans les rues. Dans sa propre maison, il resta dans son lit à scruter la fenêtre orientée vers l'est et à guetter les premiers signes de l'aube.

40.

Comme le beau temps perdurait cet automne-là Louis passait souvent de nuit devant la maison d'Addie et regardait la lumière qui brillait à l'étage dans sa chambre à coucher, sa lampe de chevet qu'il connaissait et la pièce avec son grand lit et sa commode en bois foncé et la salle de bains située au bout du couloir, et il se rappelait tous les détails de la chambre et les nuits allongé dans le noir à discuter avec elle et l'intimité de tout cela. Et puis une nuit il vit son visage apparaître à la fenêtre et il s'arrêta, elle ne fit aucun geste ni n'indiqua en aucune façon qu'elle le regardait. Mais quand il rentra chez lui elle lui téléphona. Tu ne dois plus faire ça.

Faire quoi?

Passer devant ma maison. C'est hors de question.

Alors on en est là. Tu vas me dire ce que je peux faire ou ne pas faire. Dans mon propre quartier.

Hors de question que tu passes devant chez moi et que je t'imagine en train de le faire. Ou que je me demande si tu le fais. Je ne peux pas me figurer que tu es dehors devant la maison. Il faut que je sois physiquement coupée de toi.

Je croyais qu'on l'était.

Pas si tu passes devant la maison la nuit.

Alors il ne passa plus jamais devant sa maison familière, la nuit. Passer devant dans la journée n'avait pas d'importance. Et les rares fois où ils se croisaient à l'épicerie ou dans la rue, ils se regardaient et se disaient bonjour, sans plus.

41.

Par une journée radieuse juste après midi alors qu'elle était seule en ville, Addie glissa sur le trottoir dans Main Street et tomba. Elle tendit les bras pour se rattraper mais il n'y avait rien à quoi se rattraper, et elle demeura par terre dans la rue jusqu'à ce qu'une femme et quelques hommes arrivent à son secours.

Ne me soulevez pas, dit-elle. J'ai quelque chose de cassé.

La femme s'agenouilla à côté d'elle et un des hommes replia son manteau sous sa tête. Ils restèrent là avec elle le temps qu'on vienne la chercher. À l'hôpital elle apprit qu'elle s'était cassé le col du fémur et elle demanda au personnel d'appeler Gene. Il débarqua le jour même et il fut décidé qu'elle serait mieux dans un hôpital de Denver. Elle quitta Holt en ambulance, tandis que Gene suivait dans sa voiture.

Trois jours plus tard Louis était à la boulangerie avec la bande qu'il retrouvait de temps en temps. Dorlan Becker dit : Je suppose que tu es au courant pour elle.

De quoi parles-tu ?

Je parle d'Addie Moore.

Quoi, Addie Moore ?

Elle s'est cassé le col du fémur. On l'a emmenée à Denver.

Où ça à Denver ?

Je ne sais pas. Un des hôpitaux.

Louis rentra chez lui et appela les hôpitaux jusqu'à ce qu'il tombe sur celui où elle avait été admise. Il partit le lendemain pour Denver, où il arriva en début de soirée. À l'accueil on lui donna le numéro de chambre d'Addie et il prit l'ascenseur jusqu'au troisième étage, remonta le couloir et trouva sa chambre. Là il s'immobilisa à la porte. Gene et Jamie étaient assis en train de bavarder avec elle.

Quand Addie vit Louis ses yeux s'emplirent de larmes.

Je peux entrer ? dit-il.

Non, je vous interdis d'entrer, dit Gene. Votre présence n'est pas souhaitée ici.

S'il te plaît, Gene, rien que pour dire bonjour.

Cinq minutes, dit-il. Pas plus.

Louis entra dans la chambre et s'arrêta au pied du lit et Jamie le rejoignit et l'étreignit et Louis le serra contre lui.

Comment va cette vieille Bonny ?

Elle sait attraper la balle maintenant. Elle saute et elle l'attrape.

C'est bien.

Allez, dit Gene. On s'en va. Maman, cinq minutes. Pas plus.

Jamie et lui quittèrent la chambre.

Tu veux t'asseoir ? proposa-t-elle.

Louis rapprocha une des chaises et s'assit à son chevet, puis il lui prit la main et y posa un baiser.

Ne fais pas ça, dit-elle. Elle retira sa main. C'est juste une parenthèse. Juste quelques instants. C'est tout ce que nous avons. Elle scruta son visage. Qui t'a prévenu que j'étais ici ?

Le fameux type à la boulangerie. Qui aurait pensé que ce serait lui qui m'aiderait en fin de compte ? Est-ce que tu vas bien ?

Je me remettrai.

Tu vas me laisser t'aider ?

Non. S'il te plaît. Il faut que tu partes. Tu ne peux pas rester longtemps. Rien n'est changé.

Mais tu as besoin d'aide.

J'ai déjà commencé la rééducation.

Mais tu auras besoin d'aide chez toi.

Je ne retourne pas chez moi.

Que veux-tu dire ?

Gene a tout prévu. Je vais m'installer à Grand Junction dans une résidence médicalisée.

Donc tu ne vas pas revenir du tout.

Non.

Bon Dieu, Addie. Je n'en crois pas mes oreilles. Ça ne te ressemble pas.

Je n'y peux rien. Il faut que je garde ma famille.

Laisse-moi être ta famille.

Mais quand tu mourras ?

Alors tu pourras aller vivre avec Gene et Jamie.

Non. Il faut que je le fasse tant que je suis encore capable de m'adapter. Je ne peux pas attendre d'être trop vieille. Je ne serai plus capable de changer à ce moment-là, ou si ça se trouve je n'aurai même plus cette solution. Il faut que tu t'en ailles maintenant. Et s'il te plaît ne reviens pas. C'est trop dur.

164

Il se pencha et l'embrassa sur la bouche puis sur les yeux puis il sortit de la chambre et remonta le couloir jusqu'à l'ascenseur. Il y avait une femme dans l'ascenseur, elle le dévisagea brièvement puis détourna la tête.

42.

Une nuit elle l'appela avec son portable. Elle était assise dans un fauteuil dans son appartement. Tu veux bien me parler?

Il y eut un long silence.

Louis, tu es là? dit-elle.

Je croyais que nous ne devions plus nous parler.

J'ai besoin de te parler. Je ne peux pas continuer comme ça. C'est encore pire qu'avant notre histoire.

Et Gene?

Il n'est pas obligé de savoir. On peut se parler au téléphone le soir.

En catimini, alors. Comme il a dit. On ferait ça en douce.

Ça m'est égal. Je me sens trop seule. Tu me manques trop. Tu n'as donc pas envie de me parler?

Tu me manques aussi, dit-il.

Où es-tu?

Tu veux dire où dans la maison?

Tu es dans ta chambre?

Oui, je lisais. C'est un genre de téléphone rose?

Seulement deux vieillards qui discutent dans le noir, dit Addie.

43.

Je ne te dérange pas ? dit Addie.

Non. Je viens de monter.

Eh bien, je pensais simplement à toi. J'avais juste une folle envie de te parler.

Tu vas bien ?

Jamie est repassé aujourd'hui après l'école et nous avons fait le tour du pâté de maisons. Bonny était là aussi.

Il la tenait en laisse ?

Pas besoin. Jamie m'a raconté que ses parents criaient et se disputaient tout le temps. Je lui ai demandé : Tu fais quoi dans ces cas-là ? Il m'a répondu qu'il allait dans sa chambre.

Aïe. Au moins tu es là, je peux être content pour lui, dit Louis.

Addie demanda : Tu as fait quoi aujourd'hui ?

Rien. J'ai déneigé. J'ai dégagé un passage devant chez toi.

Pourquoi ?

J'en avais envie. Les gens qui louent ta maison sont sortis me parler. Ils m'ont l'air de gens bien.

Mais c'est toujours ta maison. La maison de Ruth est toujours la sienne aussi.

J'ai cette même impression moi aussi.

N'empêche. Les choses ont changé.

Je suis au lit, dit-elle, ici dans ma chambre. Je te l'ai déjà dit, peut-être ?

Non. Mais je m'en doutais.

Tu sais que cette pièce de théâtre à Denver sera bientôt à l'affiche. Tu devrais profiter de ces billets et y aller.

Je n'irai pas sans toi.

Tu pourrais emmener Holly.

Ça ne me dit rien. Et pourquoi toi tu n'en profiterais pas ?

Je n'irai pas sans toi non plus, dit-elle.

Alors des étrangers occuperont nos places. Ils ne sauront rien de nous.

Ni pourquoi ces places se sont libérées.

Et tu ne veux toujours pas que ce soit moi qui téléphone. Tu ne veux pas que ce soit moi qui prenne l'initiative d'appeler.

J'ai peur que quelqu'un soit dans la pièce avec moi. Je ne saurais pas jouer la comédie.

On se croirait au début de notre histoire. Comme si on recommençait à zéro. Avec toi à la manœuvre là aussi. Sauf qu'aujourd'hui on fait attention.

Mais en même temps on continue. N'est-ce pas ? dit Addie. Nous continuons à parler. Et ça durera. Aussi longtemps que ce sera possible.

De quoi tu as envie de parler ce soir ?

Elle regarda par la fenêtre. Elle voyait son reflet dans la vitre. Et le noir derrière.

Dis, est-ce qu'il fait froid à Holt ce soir ?

Remerciements

L'auteur souhaite remercier Gary Fisketjon, Nancy Stauffer, Gabrielle Brooks, Ruthie Reisner, Carol Carson, Sue Betz, Mark Spragg, Jerry Mitchell, Laura Hendrie, Peter Carey, Rodney Jones, Peter Brown, Betsy Burton, Mark et Kathy Haruf, Sorel, Mayla, Whitney, Charlene, Chaney, Michael, Amy, Justin, Charlie, Joel, Lilly, Jennifer, Henry, Destiny, CJ, Jason, Rachael, Sam, Jessica, Ethan, Caitlin, Hannah, Fred Rasmussen, Tom Thomas, Jim Elmore, Alberta Skaggs, Greg Schwipps, Mike Rosenwald, Jim Gill, Joey Hale, Brian Coley, Troy Gorman, et tout particulièrement Cathy Haruf.

La photocomposition de cet ouvrage
a été réalisée par
GRAPHIC HAINAUT
30, rue Pierre Mathieu
59410 Anzin

Imprimé en France par CPI
en août 2016

Dépôt légal : septembre 2016
N° d'édition : 55444/01 – N° d'impression : 136764